我笔下的马小跳是一个真正的孩子，我想通过这个真正的孩子，呈现出一个完整的童心世界。

中国原创品牌童书　传奇经典畅销十年

杨红樱⊙著

浙江出版联合集团
浙江少年儿童出版社

杨红樱 Yanghongying 语录

我认为作为一个好老师的一个很重要的标准，就是学生是不是喜欢你。

一个学生，完全可能因为喜欢一位老师，而爱上这位老师所教的那门功课。

教育应该把人性关怀放在首位。

林老师

　　她是马小跳的美术老师，温柔漂亮，有一双会发现孩子优点的眼睛，还有一颗理解孩子的心。她是马小跳最喜欢的老师，而美术课也成了马小跳最喜欢上的一门课。

轰隆隆老师

　　他的名字叫雷鸣，是教马小跳科学课的老师。他总是穿着有许多口袋的裤子，从口袋里摸出各种各样的东西，将本来枯燥的科学课上得生动活泼。他常常在实验室里变魔术，一时间成为马小跳最崇拜的人。

目录
Mulu

淘气包马小跳

系列 典藏版

轰隆隆老师
HONGLONGLONGLAOSHI

被冤枉的滋味不好受

马小跳每一天都过得很愉快。如果说他有那么一点点不愉快的话，那肯定都是因为路曼曼。

路曼曼是马小跳的同桌，是班主任秦老师派来监视马小跳的。她有一个小本子，专门用来记录马小跳的不良表现。每天下午放学前，她都把这个本子秘密地交到秦老师那里。所以马小跳经常在办公室罚站，经常写检查，他的检查写得比作文还好，行云流水，语句通顺得不像是一篇检查，倒更像是一篇有感而发的散文，这都

是因为熟能生巧，从一年级就开始写检查，一直写到现在，早就练出来了。

今天，马小跳带了泡泡糖到学校吃。下课的时候，他明明看见路曼曼走在前面，他才把泡泡糖塞进嘴里，可是还是被路曼曼发现了。她猛地一转身，用手指着马小跳的鼻子："不许吃东西！"

马小跳把泡泡糖压在舌根下面，把嘴张大给路曼曼看："我吃什么啦？我什么也没吃。"

"你吃了，我看见的。"路曼曼不依不饶，"快吐出来！"

马小跳不想和路曼曼纠缠下去，他还急着下楼去打乒乓球呢。

"吐就吐！"

噗的一声，马小跳把泡泡糖吐了出来，也不知吐到什么地方去了。

马小跳飞奔下楼，还是去晚了一步，河马张达和猿猴毛超已经开打了，他只好排在企鹅唐飞的后面。

刚轮到马小跳上，班上几个女生气势汹汹地直奔马

小跳而来，她们抓住他的两只胳膊，说要把他抓到秦老师那里去。

"干什么？干什么？"河马张达和猿猴毛超把马小跳挡在身后，"男女有别，拉拉扯扯的像什么话！"

企鹅唐飞在一旁嚷道："你们在抢新郎啊？要抢也别抢马小跳呀！要抢就抢张达，他比马小跳帅多了！"

几个女生都红了脸，赶紧松开马小跳。一个女生说："路曼曼都哭了。"

马小跳说："她哭跟我有什么关系？她本来就爱哭。"

另一个女生说："她说你打击报复。"

马小跳问张达："什么是'打击报复'？"

张达摇头，唐飞摇头，什么都懂的毛超也摇头，他们觉得这个词挺吓人的。这样，事情就变严重了，他们不仅不敢再保护马小跳了，反而把他往女生面前推，随她们怎么处置他。

几个女生一起上，把马小跳按倒在地，有的抬脚，有的抬手，还有的抬头，就像抬猪一样，把他抬走了。

马小跳手脚乱舞乱蹬，高呼救命。张达、毛超、唐

飞不仅不救他，还幸灾乐祸地哈哈大笑。

这时，马小跳有点伤感：什么好朋友，什么危难时刻见真情，什么患难之交，狗屁！马小跳不再挣扎，干脆闭上眼睛装死人，任几个女生呼哧呼哧地抬着他，他觉得还挺舒服的。

抬到楼梯那儿，几个女生再也抬不动了。她们叫马

小跳起来自己走，马小跳不动不说不睁眼睛，要把死人装到底。

"他是不是死了？"

有个女生去捏马小跳的鼻子，看他还有气没气。马小跳憋得难受，使劲地一喷鼻子，鼻涕喷出来了，喷在那个女生的手上。

死人是不会喷鼻涕的，马小跳显然没有死，他是在装死。女生们一生气，又有劲了，抬起他一口气上到三楼，直接把他抬到秦老师的办公室里。

在秦老师面前可不能再装死，这对马小跳没好处。他一挺身，已经毕恭毕敬地站在秦老师面前了。看几个女生累得大口大口地喘粗气，马小跳在心里笑死了。

路曼曼站在秦老师的面前，她还在哭，满脸都是泪水，抽抽搭搭的，哭得很伤心。马小跳看着路曼曼，他觉得伤心的路曼曼很可怜，也很可爱，比平时那个凶巴巴的、一天到晚都想管他的路曼曼可爱多了。他甚至有了一种男子汉想要保护弱小女子的冲动。

马小跳挨近路曼曼："路曼曼，谁欺负你了？你告诉

我，我去帮你……"

"马小跳，你是真糊涂，还是装糊涂？"

马小跳的话还没说完，就被秦老师打断了。他没有注意到，秦老师一直蹲着，在那里看路曼曼的裙子。

马小跳承认他刚才装过死，但没有装过糊涂。

"秦老师，你能不能告诉我，我又犯了什么错？"

秦老师指着路曼曼的裙子："你自己看吧！"

那是一条镶着蕾丝花边的裙子，真的很漂亮。马小跳还是不明白，路曼曼穿了一条漂亮的裙子，跟他有什么关系。

秦老师以为马小跳在消极抵抗，她让路曼曼转过身，指着屁股那里给马小跳看。

马小跳看见屁股部位的裙子上，粘着一块口香糖。口香糖已蔓延开，在裙子上粘成一片。

"路曼曼今天才穿的一条新裙子，马小跳你说，你为什么要把泡泡糖粘在路曼曼的裙子上？"

秦老师一生气，嘴角就拉下来，马小跳不敢看秦老师的脸。

"马小跳，是不是路曼曼管了你，对你严格要求，你就对她打击报复？"

又是"打击报复"，怎么她们都喜欢用"打击报复"这个词？虽然马小跳还不能完全理解"打击报复"这个词的意思，但他已经从秦老师的脸上意会到这个词的严重性。

"我没有打击报复。"

"你还狡辩？"秦老师的嘴角拉下来了，眉毛都立起来了，"没有打击报复，怎么会把泡泡糖粘到路曼曼的裙子上？"

马小跳说："是泡泡糖自己粘上去的。"

秦老师气得说不出话来。过了好一会儿，她才语重心长地说道："马小跳，你是个诚实的孩子，认了错，我们都会原谅你的。"

马小跳承认泡泡糖是他吐的，但他没有把泡泡糖粘在路曼曼的裙子上。他把脖子一扭："我不认这错，因为我没有把泡泡糖粘在路曼曼的裙子上。"

"马小跳呀马小跳，你太令我失望了。"

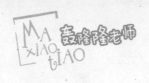

秦老师很伤心，马小跳也很伤心。

伤心的马小跳走在回家的路上，尽管他信奉"男儿有泪不轻弹"，但还是流下了一两滴眼泪。毕竟，被冤枉的滋味不好受。

一件让马小跳想入非非的事情

马小跳的同桌路曼曼，有一本专门记录马小跳不良表现的小本子。

上午第一节课是数学课，数学老师布置了二十道口算题，马小跳趁数学老师转身在黑板上写字的时候，和坐在前面的毛超对起答案来。

路曼曼在小本子上记着：

数学课，马小跳和毛超对答案。

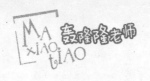

上午第二节课是语文课，马小跳上秦老师的课一般不会犯什么事。可路曼曼在小本子上还是记了一笔：

语文课，马小跳读课文拖声拖气。

马小跳趁路曼曼不在的时候，从她书包里把这个小本子偷出来看。如果路曼曼记的是事实，比如记他数学课上和毛超对答案，他会不吱声，算是默认；如果路曼曼记的不是事实，比如记他上语文课时读课文拖声拖气，他就要找她说清楚。

马小跳举着这个记录他不良表现的小本子，身边还有给他助威的猿猴毛超、企鹅唐飞和河马张达，满世界寻找路曼曼。

"路曼曼，你出来！"

路曼曼好像从天而降，突然横在马小跳的面前："干什么？"

"你诬陷我！"马小跳大叫道，"我读课文没有拖声拖气。"

路曼曼的声音比他的更大:"你就拖声拖气了!"

马小跳想用他的声音压过路曼曼的声音,脖子上暴出了一条一条像青虫一样的青筋。

"谁听见我拖声拖气了?"马小跳问毛超,"你听见我拖声拖气没有?"

毛超说没有听见。马小跳又问唐飞和张达,他们俩也说没有听见。

找假证人,这又是马小跳的一个不良表现,路曼曼从马小跳手中夺回小本子,她要马上记下来。

马小跳其实是斗不过路曼曼的,他只有虚张声势,

高声嚷嚷："总有一天，我要一把火把你这个烂本子烧了！"

马小跳当场说过，当场就忘了。

下午放学前，马小跳和张达、毛超几个约好了去踢足球，还没走出校门，就被路曼曼挡住了，叫他到秦老师那里去。

马小跳根本没把这当回事，他想他今天跟路曼曼吵了一架，路曼曼肯定会多记他几条不良表现，秦老师当然要找他了。

马小跳让张达他们几个等他一会儿，他说他只要一承认错误，秦老师就会放他走。

马小跳跟在路曼曼的后面，大摇大摆地来到秦老师的办公室。

马小跳一心想让秦老师快点放他走，根据以往的经验，不等秦老师开口教育他，他就开始认错了："秦老师，我错了。"

秦老师头都不抬，继续改她的作业本。

马小跳以为秦老师没有听见，更大声地说："秦老

师，我错了!"

马小跳的声音惊动了办公室里的其他几位老师，她们都抬起头来，见是马小跳又在承认错误，她们都悄悄地笑了。

马小跳看见张达他们几个在办公室外面向他使劲招手，心里更急了。他又说了一遍："秦老师，我错了!"

秦老师终于不改作业本了，抬起头来问马小跳："你犯了什么错?"

"上数学课，我和毛超对答案。"

秦老师不动声色："还有呢?"

"上语文课，我读课文拖声拖气。"

尽管马小跳认为他读课文没有拖声拖气，这条错是路曼曼强加给他的，但为了尽快脱身，他也不计较那么多了。

秦老师还是不动声色："还有呢?"

马小跳看看在一旁气呼呼的路曼曼，又想起一条错来："我不该找路曼曼吵架。路曼曼，对不起，请原谅!"

马小跳一连给路曼曼鞠了三个躬，路曼曼哼了一

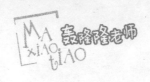

声，把头扭到一边去。

"再想一想，还有没有？"

"没有了，我发誓——"马小跳举起右手，"再也没有了。"

"真的没有了？"秦老师循循善诱，"你说没说过，要把路曼曼的小本子一把火烧了？"

马小跳眨巴着眼睛，他已经记不得他到底说过这话没有。

秦老师向马小跳伸出手来："把路曼曼的小本子交出来！"

马小跳脖子一扭："我又没拿她的。"

路曼曼说："不是你拿的，我的小本子怎么不见了？"

马小跳翻着白眼："你问我，我怎么知道？"

"马小跳，你太令我失望了！"秦老师好像真的对马小跳失望了，"以前，我至少觉得你还有一个优点：敢作敢为，怎么现在你连这个优点也没有了？"

马小跳说："我真的没有拿路曼曼的小本子。"

"那就奇怪了，上午你说总有一天你要一把火把路

曼曼的小本子烧了，下午路曼曼的小本子就不见了。"

　　马小跳也觉得奇怪。

　　秦老师给马小跳一个台阶下："马小跳，如果你承认路曼曼的小本子是你拿的……"

　　"不是我拿的。"

　　秦老师很不高兴马小跳打断了她的话，她十分武断地说："肯定是你拿的！因为这个小本子上记的是你的表现。"

　　这就是说，只有马小跳有作案动机。马小跳还想辩解，可秦老师不听他的，她叫马小跳回家写检查。

　　第二天，秦老师让马小跳当着全班同学念他的检查，马小跳念道：

　　　　昨天，路曼曼的小本子丢了，因为这小本子上记的全是我每天的表现，秦老师和路曼曼就说是我拿的，可是，我没有拿，我可以发誓……

　　"我证明，真的不是马小跳……"

毛超站了起来。

秦老师说："毛超，我知道你是马小跳的好朋友，可不能互相包庇哦！"

"是我干的。"毛超伸了伸细长的脖子，好像在为自己打气，"我觉得路曼曼在这个本子上记马小跳，有的不是真的，比如她记马小跳读课文拖声拖气，可是我听见马小跳读课文没有拖声拖气……"

这件事显然是秦老师和路曼曼错怪了马小跳。马小跳都想好了，如果秦老师和路曼曼向他承认错误，请求他的原谅，他是会原谅她们的。结果是马小跳自己在那里想入非非，秦老师和路曼曼并没有向他承认错误，更没有请求他的原谅。想想也是，秦老师是老师，路曼曼是好学生，怎么可能向他马小跳承认错误、请求他的原谅呢？

演树医好了多动症

除了体育老师不说马小跳有多动症，几乎所有教过马小跳的老师，都说马小跳有多动症。

秦老师不止一次地这样对马小跳说："马小跳，你一刻都停不下来，让你爸爸带你到医院检查检查，看是不是有多动症。"

老师的话不敢不听。马小跳把秦老师的话原封不动地传达给马天笑先生。

马天笑先生不以为然："你又没病，到医院去干什么？"

马小跳说："我爱动。"

"爱动好哇！"马天笑先生一巴掌拍在马小跳的肩膀上，"生命在于运动嘛。"

有了"生命在于运动"这个原理，马小跳动得比以前更厉害了。

秦老师问："马小跳，你爸爸带你去医院检查了吗？"

马小跳说："没去。"

"为什么没去？"

"我爸爸说生命在于运动。"

"你爸爸真够幽默的。"

在对马小跳的教育问题上，秦老师从来不在马天笑先生身上寄予太大的希望，因为她觉得马天笑先生自己就像一个不懂事的大男孩，所以她在马小跳身上下的工夫就特别多。

"马小跳，我来治你的多动症。"

秦老师就这么武断，还没去医院检查，她就断定马小跳有多动症。

过了几天，秦老师问马小跳，想不想在六一儿童节

上台表演节目。

当然想，马小跳做梦都想。

班上要表演的节目是童话剧《龟兔赛跑》。路曼曼演兔子，唐飞演乌龟。两个主角都有人选了，那么，马小跳又演什么呢？

秦老师说："马小跳演那棵树。"

马小跳问哪棵树。

路曼曼抢着回答："就是兔子靠着睡觉的那棵树。"

说是演树，其实只不过是一个道具而已。马小跳两只手举着两根树枝，一动不动地站在那里，连一句台词都没有。

故事是从一只兔子在一棵大树下遇见一只乌龟开始的，也是在这棵大树下结束的，所以，马小跳必须从头到尾自始至终站在那里。

马小跳两只手高高地举着两根树枝，眼睁睁地看着兔子路曼曼在他身边跳来跳去，眼睁睁地看着乌龟唐飞在他身边爬来爬去。

那个唐飞真是笨，连马小跳都把他的台词背得滚瓜

烂熟了，他自己还经常忘词儿。马小跳忍不住就要给他提词儿，唐飞不仅不感谢马小跳，反而去向秦老师告状。

"秦老师，马小跳说话了。"

秦老师就来警告马小跳："马小跳，你要记住，你是一棵树，树是不能讲话的。"

乌龟和兔子开始赛跑。兔子骄傲了，在大树底下睡觉。路曼曼靠在马小跳的脚边，眯上了眼睛。马小跳的心里很有些不平衡：她这个主角当得太舒服了，在台上蹦蹦跳跳、风风光光，还可以靠在我马小跳身边休息。而马小跳脚都站酸了，却不过是个活道具。马小跳使了点坏，往后一退，路曼曼立即四脚朝天。

路曼曼哭了，跑去向秦老师告状，说马小跳故意捣乱。

秦老师最喜欢路曼曼，一见她哭，就格外生气。

"马小跳，你再故意捣乱，我就把你换下来。你知不知道，还有很多同学想演你这个角色呢？"

马小跳知道，确实有很多同学想演他这个角色，比如张达，再比如毛超，而且他们还扬言，就等着秦老师把马小跳换下来，他们好上。

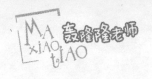

马小跳很怕秦老师把他换下来，他说他不是故意捣乱，他是累了。

秦老师又警告马小跳："马小跳，你要记住，你是一棵树，树是不知道累的。"

后来在排练的时候，马小跳就不停地对自己说："马小跳，你是树，不是人。树是不能说话、不能动、不知道累的。"

秦老师看马小跳有进步，就鼓励他："马小跳，只要你每天把树演好了，我就让你说一句台词。"

马小跳说："我不说。"

"为什么？"

"你不是说树是不能说话也不能动的吗？"

秦老师就笑起来："我们演的《龟兔赛跑》是个童话剧，童话中的动物可以说话，树也可以说话。"

马小跳说："童话中的树既然可以说话，为什么只说一句，不多说几句呢？"

"不可以。"秦老师一点商量的余地都没有，"只能说一句，但这句话非常非常重要。"

马小跳后来才知道，这句非常非常重要的话，就是"虚心使人进步，骄傲使人落后"。秦老师说："别小看这么一句台词，这句台词可是这个童话剧的灵魂。"

为了能说这句台词，马小跳在排练中一动不动地一站就是一两个小时。有时唐飞记不住词儿，或者是路曼曼出点差错，站三四个小时的时候也有。

秦老师终于同意让马小跳说这句台词了。

马小跳把这句台词至少练了一百遍。马天笑先生说："说'虚心使人进步，骄傲使人落后'这句台词，一定要用充满智慧的声音说。"

马小跳不知道什么样的声音是充满智慧的声音。

马天笑先生示范了一遍，马小跳就笑起来：原来充满智慧的声音，就是拖声拖气、瓮声瓮气。

六一儿童节那天演节目，马小跳的全身裹满了棕色的布，这是树干。手上举着绿色的树枝，他更像一棵树了。他一上台，就把所有人的眼球都吸引到他身上。马小跳是全校闻名的淘气包，所以他在全校的知名度远远高于路曼曼和唐飞，人们根本不看路曼曼和唐飞的龟兔

赛跑，就只看马小跳。

"看看，演树的是马小跳！"

"他真像一棵树。"

"噢噢，马小跳！噢噢，马小跳！"

节目演到最后，马小跳用充满智慧的声音，也就是用那种瓮声瓮气、拖声拖气的腔调，说出了那句

最关键、最灵魂的台词——"虚心使人进步，骄傲使人落后"。

刚说完，全场就响起了炸雷般的掌声和欢呼声。

教过马小跳的老师都说，马小跳演得最好。因为要让马小跳这样一个一刻都停不下来、被怀疑有多动症的孩子来演一棵树，真是太难为他了。

马小跳的家庭联系本

　　每天下午放学，从学校走回家的那段时光，是马小跳的幸福时光。这时候，他天马行空，自由自在，没有路曼曼在旁边管着他，也没有秦老师那双比孙悟空的火眼金睛还厉害的眼睛盯着他，他可以跳着走，倒着走，学漂亮的女郎走猫步，学胖男人走鸭子步……还可以在街上看各种各样的车，看各种各样的人。前些日子，他喜欢在十字路口看一个指挥交通的女警察，他十分惊讶世界上居然有这么漂亮的女警察，她指挥交通的动作，

简直就是优美的舞蹈动作。马小跳被这个漂亮的女警察吸引住了，一连好多天，他天天都去十字路口看那个女警察。

当然，在放学路上吸引马小跳的，不仅仅是漂亮的女警察，还有一个专门帮别人写字的老头儿。每天下午，马小跳经过一条小巷口时，他都能见到这个老头儿，他在一棵大树下摆了一张方桌子，就坐在那里帮人家写字。

那个写字老头儿很瘦，瘦得两个脸腮都凹进去了。他把自己打扮得古里古怪，像电视剧里的账房先生：戴一顶瓜皮帽，一副小圆眼镜

架在鼻尖上，穿一身黑色的、有古钱币花纹的长衫。

找写字老头儿写字的人很少，所以他有很多时间坐在那里没事干。他发现马小跳在看他，就向马小跳招手。

"过来过来，把你的作业本拿出来，我看你的字写得好不好。"

马小跳的字写得不好，歪歪扭扭，像蚂蚁爬的，他不好意思拿出来。

"我的字写得不好。"

"那肯定是你们老师的字本身就写得不好，所以没有把你教好。"

马小跳不允许这个写字老头儿小瞧秦老师。

"我们秦老师的字是写得很好的，不信，我拿给你看。"

马小跳的书包里，天天都背着"家庭联系本"。每天，秦老师都会把马小跳的表现写在这个本子上，让马小跳带回去给他爸爸看，还要让他爸爸签上意见，第二天再带给她看。开始几天，他爸爸马天笑先生还能签上

几句意见，后来，马天笑先生嫌烦，马小跳也嫌烦，马小跳经常忘记把联系本拿出来让马天笑先生签字。当然，第二天去学校，肯定要站办公室了。站了办公室后，马小跳会有几天记着把联系本拿出来让马天笑先生签字，马天笑先生喜欢做有创意的事情，他觉得天天做这样的事，一点创意都没有。何况，秦老师在联系本上写的都是一些鸡毛蒜皮的小事，什么调皮呀，什么捣蛋呀，不调皮不捣蛋，还叫男孩子吗？所以，他几乎看都不看，就在秦老师写的那些字的后面，龙飞凤舞地签上他的名字，就像他在玩具厂当厂长签各种文件一样。

对马天笑先生这种不负责任的行为，秦老师很生气。就在今天下午，秦老师还对马小跳说："如果你爸爸只在联系本上签上名字，不写上意见，就请你爸爸到学校里来。"马小跳很怕马天笑先生被秦老师请去，他曾亲眼见过马天笑先生像一个小学生那样，规规矩矩地站在秦老师面前挨她的训，马小跳觉得他爸爸很可怜。

马小跳把联系本从书包里拿出来给写字老头儿看。联系本上写满了秦老师的字，写字老头儿不说好，也不

说不好，他只说这是个女人写的字。

"你怎么知道我们秦老师是女的？"

马小跳觉得这老头儿有点神。

写字老头儿不回答他，又指着马天笑先生的签字，说："这是男人写的字。"

"是我爸爸写的，我爸爸是个男人。"马小跳觉得写字老头儿更神了，"是不是男人写的字和女人写的字不一样？"

"非也。"写字老头儿摇头晃脑、咬文嚼字地说，"比如像我，既能写男人的字，也能写女人的字。"

"你写给我看看。"

写字老头儿铺开一张白纸，照着联系本，写了秦老师的字，又写了马天笑先生的字，然后拿给马小跳看："你看这是女人写的字，这是男人写的字。"

像，简直太像了。马小跳这才恍然大悟，这写字老头儿最大的本领就是模仿别人写的字。以前他看写字老头儿为别人写字时总是纳闷：那些来找他写字的人都像是有文化的人，为什么还要找他写字呢？

"我不仅能写男人的字、女人的字，我还能写小孩子的字。不信，你写几个字在这纸上。"

马小跳在白纸上写了几个字，歪歪扭扭，像蚂蚁爬的。

写字老头儿照样写了，歪歪扭扭，也像蚂蚁爬的，跟马小跳写的一模一样。

马小跳想起今天的语文作业是抄写生字，他跟他爸爸一样，最不喜欢做这类没有创意的事情。

"你学我的字学得这么像，你帮我做作业好不好？"

写字老头儿向他翻了几下白眼，很坚决地摇头。

马小跳从裤兜里摸了两枚一元的硬币："我给你两元钱。"

"你就是给我两百元、两千元，我也不干。"写字老头儿翻白眼的速度加快了，他的眼睛白多黑少，像两个乒乓球，"我不会为了钱，做害小孩子的事情。"

看得出来，这个写字老头儿很喜欢小孩子。

"那你帮我爸爸给我签意见好不好？"

"签什么意见？"

马小跳给写字老头儿看秦老师在联系本上写的那段文字：

马小跳今天的词语听写不及格，希望家长加强督促孩子的学习。

"你假装我的爸爸，在这下面写上意见，再签上我爸爸的名字。"

写字老头儿握着笔，左思右想，就是下不了笔。

"这么简单你都不会写？这样吧，我说你写。"

马小跳开始说，写字老头儿开始写：

秦老师：知道马小跳今天词语听写不及格后，我怒火万丈，把他痛打了一顿，他保证明天听写得一百分。

写字老头儿说："怒火万丈这个词用得太夸张了。"

马小跳说："一点都不夸张，我爸爸平时不爱生气，但一生气就怒火万丈。"

写字老头儿又说："保证明天得一百分，如果得不了一百分怎么办？"

马小跳一想这确实是个问题，但只要让秦老师看了高兴，管他那么多！

写字老头儿还真替马小跳担心："你明天听写能不能得一百分呀？"

马小跳一不做二不休："现在你就帮我听写，我就不相信明天得不了一百分！"

那写字老头儿想，反正没生意，闲着也是闲着，就捧着语文书，帮马小跳一个词一个词地听写起来。

和秦老师打笔仗

马小跳今天的词语听写得了一百分，这跟地球撞了火星一样，不能让人相信，但千真万确，马小跳今天的词语听写，确实得了一百分。

"马小跳是不是抄路曼曼的？"

路曼曼是马小跳的同桌，每次词语听写，她都得一百分。

下午放学，秦老师把马小跳叫到办公室去。

"马小跳，我们把今天上午听写的词语再听写一

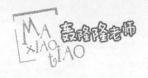

遍。"

秦老师说这话时，脸上一点表情都没有，看不出她是高兴还是生气，或者是既不高兴也不生气。

秦老师把马小跳的本子翻到空白页，听写就开始了。秦老师念一个词，马小跳就写一个词。因为马小跳写得快，所以听写很快就结束了。

秦老师拿起本子看了一遍，全部正确。又戴起眼镜看了一遍，还是全部正确。

"马小跳，你的进步很大，老师真为你高兴。"

秦老师脸上有了笑容，她笑起来又亲切又好看，可惜她太不容易笑了，马小跳为秦老师感到遗憾。

"马小跳，你看你爸爸一管你，你就有进步，证明你爸爸平时根本就没有管你。"

马小跳低着头，他不敢让秦老师看他的眼睛，怕被看出破绽来。

"爸爸打你哪儿了？让老师看看。"

"屁股。"

马小跳根本没有挨打，身上哪会有伤？他想秦老师

是女的，说屁股，她就不好意思看了。

秦老师果然不敢看马小跳的屁股。她在马小跳的家庭联系本上又写了几行字，让马小跳带回去让他爸爸签字。

走在路上，马小跳把家庭联系本翻出来看。今天，秦老师写的是：

> 马小跳有进步。希望家长督促他背诵古诗二首。对他这样的孩子，一刻也不能放松。

马小跳又去找小巷口那个帮人写字的老头儿。昨天，就是找他模仿他爸爸的笔迹，马小跳说、写字老头儿写，才写下那条意见的：

> 秦老师：知道马小跳今天词语听写不及格后，我怒火万丈，把他痛打了一顿，他保证明天听写得一百分。

所以，刚才秦老师问马小跳，他爸爸打他哪儿了，幸好马小跳说打的屁股，秦老师才没好意思看。

写字老头儿桌前冷冷清清，还是没有生意，他歪着嘴巴，拿了根火柴棍儿在那里挖耳朵。

马小跳走过去，就把家庭联系本摔在写字老头儿的面前。

"我说你写。"

写字老头儿也不多说什么，马小跳叫他写他就写，反正闲着也是闲着，有写的总比没写的好。

马小跳开始说，写字老头儿开始写：

　　秦老师：马小跳的这点进步根本算不了什么。其实，马小跳比路曼曼还聪明，问题是你对他不够信任，比如你今天叫他听写第二遍。

写字老头儿问："没有了？"

马小跳说："没有了。"

"我认为有些不妥。"

马小跳不懂什么叫"不妥"。他叫写字老头儿跟他说现代汉语，不要说古代汉语。

写字老头儿翻翻白眼，念道："其实，马小跳比路曼曼还聪明……这样写是不是太盛气凌人了？"

"什么叫'盛气凌人'？"

"就是有点霸道。"

"路曼曼才霸道呢！"马小跳说起路曼曼就有一肚子气，"秦老师看路曼曼什么都好，看我什么都不好。"

"这就是说，这个秦老师有些偏心。"

"什么叫偏心？"

写字老头儿指着他的心口："我们的心都长在这正中间，你们秦老师的心可能长偏了。"

马小跳想想也是，可能是秦老师的心长偏了。

马小跳把家庭联系本收进书包里就要走，写字老头儿叫住他，说他还没背古诗二首呢，这是秦老师写在联系本上的。

写字老头儿教古诗还真有一套，他让马小跳先把诗句的韵脚找到再来背，果然，背了三遍就熟了。

第二天，秦老师又把马小跳叫到办公室。

马小跳以为秦老师又要表扬他，因为今天他背诵古诗二首，一个字都没有背错。

秦老师似乎很生气，她把马小跳的家庭联系本哗哗地翻到昨天写字老头儿新写的那一页，问马小跳："你爸爸是什么意思，嗯？"

马小跳不吭声，他等秦老师往下说。

"凭什么说你比人家路曼曼还聪明，嗯？"

马小跳还是不吭声，他已经听出点眉目来了。

"我怎么就不信任你了，嗯？"

看秦老师气成那样，马小跳有些慌了："不是，我爸爸的意思是……"

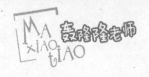
"你爸爸到底是什么意思？"

秦老师的声音提高了许多，但她马上意识到不应该对马小跳发火。

"马小跳，我不是生你的气，我是生你爸爸的气。"

秦老师在马小跳的家庭联系本上唰唰地写道：

　　　当家长的要客观地看待自己的孩子，这样才有利于孩子健康成长。

马小跳又去找写字老头儿。写字老头儿还是没有生意，眯着眼睛在养神。

"我说你写。"

写字老头儿顿时来了精神。这一天，他似乎就是在等待马小跳的到来。

在写之前，马小跳问写字老头儿："什么叫'客观地看'？"

"'客观地看'就是要看到事物的这一方面，也要看到事物的那一方面。一言以蔽之，就是要看事物的方方

面面。"

　　写字老头儿说得唾沫横飞，一边说还一边翻着他的手心手背，形象地来说明这一面和那一面。

　　马小跳懂了："客观地看待孩子，就是要看到这个孩子的缺点，也要看到这个孩子的优点。"

　　写字老头儿伸长脖子"哦"一声。

　　马小跳开始说，写字老头儿开始写：

　　　　老师看孩子也要客观，不能偏心。

　　第二天的结果可想而知，"偏心"一词彻底地激怒了秦老师，她非要马小跳的爸爸到学校来说清楚不可，那个写字老头儿不可能冒充马天笑先生到学校里去，马小跳只得硬着头皮，在他爸爸心情最好的时候，把这个不幸的消息告诉了他。

马小跳爸爸去学校挨训

马小跳的妈妈喜欢做饭做菜，可以做得每天花样翻新，但她从来不洗碗，她说洗碗是男人的事情。家里有两个男人，大男人马天笑先生，小男人马小跳，谁来洗碗呢？

马天笑先生和他儿子马小跳有办法来解决这个难题，他们玩飞镖来决定谁洗碗。

平时，总是马小跳赢多输少，因为他会赖皮，还会搞点阴谋诡计。比如每当马天笑先生要把飞镖投出去的

那一刹那，马小跳就会弄出一些声响来，马天笑先生注意力一分散，飞镖就飞到一边去了。

因为今天有不幸的消息要告诉马天笑先生，所以今天玩飞镖，马小跳没有赖皮，也没有耍阴谋诡计，所以马天笑先生就赢了，马小跳乖乖地去洗碗。

马天笑先生一边喝着红酒，一边看日本动画片《蜡笔小新》——这是他心情最好的时候，马小跳却把一个不幸的消息告诉了他。

"老爸，我们秦老师请你到学校去一趟。"

马天笑先生关掉电视，用看犯人的目光看着马小跳。

"说！马小跳，你又犯什么事儿啦？"

马小跳说："没犯什么事儿。"

"没犯什么事儿，你们秦老师请我到学校去干什么？"

马小跳本来想把事情的来龙去脉给马天笑先生说一遍，但事情好像已经被他搞得很复杂，复杂的事情是没有来龙去脉的。

"去了你就知道了。但是，你要答应我一个请求。"马小跳有点悲壮，"无论发生了什么事情，我都希望你不要打我。"

"那可不一定。"马天笑先生挥挥手，"你先回房间去吧，等我去了学校再说。"

那天下午，马小跳看见学校门口停着一辆花花绿绿的越野车，马小跳就知道，他爸爸已经来了，因为这样的车，就是在全中国也只有一部，这是他爸爸仿照一部玩具车的模样，把自己的车改装成现在这个样子的。

马小跳躲在办公室外面的窗口下面，观察着里面的动静。

马天笑先生一进办公室，就向每一位老师点头哈腰打招呼。因为他老被秦老师请到学校来，所以老师们都知道他是马小跳的爸爸，著名的玩具设计师，成功的企业家。

秦老师对马天笑先生很冷淡，比平时更冷淡，马天笑先生一进来就感觉到了。他向秦老师点头哈腰，秦老

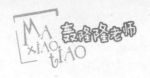

师根本不理他，也不请他坐。马天笑先生低着头，有低头认罪的意思。

秦老师冷冷地问道："知道我为什么请你来吗？"

"不知道，还请秦老师多指教。"

"马小跳回家没跟你说吗？"

"他说不清楚。"

"我今天请你来，就是想当面听听你对我的意见。"

"我对您没意见呀！"马天笑先生十分诚恳地表白道，"马小跳很淘气，您在他身上花的心血最多，我对您感激都来不及，怎么会对您有意见呢？"

马天笑先生说的是真心话，百分之百的真心话。

秦老师把马小跳的家庭联系本拿出来，哗哗地翻到写字老头儿冒充马天笑先生的笔迹写的那几天的意见。

"这是你写的，没错吧？"

马天笑先生左看右看，这确实是他写的字。可是，他没写过这样的话呀！难道他患了失忆症？

马天笑先生坚定不移地相信，这些字都是他写的，因为像这样龙飞凤舞的花体字，全中国可能也就只有他

写吧。何况，这些意见也都是他想提的：秦老师看马小跳本来就不够客观，缺点看得多，优点看得少；在对待路曼曼和马小跳的态度上，秦老师确实有点偏心……

见马天笑先生已经默认了，秦老师像教训小学生那样，教训起马天笑先生来。

"做人最重要的品质是诚实，你身为一个父亲，还是一个工厂的厂长，连自己做过的事情都不敢承认，你怎么能教育好你的儿子？怎么能以身作则，给工厂里的工人们做出榜样呢？"

马天笑先生像个犯错误的小学生，低着头，笔直地站在秦老师的跟前。秦老师以为他

在洗耳恭听，其实他一句都没有听进去，他还在使劲地回忆，家庭联系本上的那些话，是他什么时候写的。

秦老师继续教训道："做家长的，对自己的孩子应该严格要求，而不应该动不动就给老师提意见。我看马小跳今天这个样子，你这个做爸爸的要负主要责任。"

秦老师越说越生气，脸涨红了，声音也提高了。

马天笑先生还是低着头，像小学生那样毕恭毕敬地站在秦老师的面前。秦老师这番生气的话，他还是一句都没听进去。他仍然在想：他什么时候在家庭联系本上写的那些话？

马小跳在办公室外面，看见他老爸——一个闻名世界的玩具设计师，一个堂堂的大厂长，居然像小学生一样被老师训，他突然心疼起他老爸来。这是有生以来，马小跳第一次心疼他老爸。他正想冲进办公室，对秦老师坦白：家庭联系本上的那些字不是他老爸写的，是他找人模仿他老爸的笔迹写的。可是，马天笑先生已经从办公室里出来了。他从马小跳跟前经过，却像没看见马小跳似的。

"老爸!"

马天笑先生就像没听见似的,一直向前走。

"老爸,你怎么啦?"马小跳真的哭了,他以为马天笑先生已经被秦老师训傻了,"老爸,都是我害的你,呜呜呜……"

马天笑先生愣愣地看着马小跳,眼神里充满了恐惧:"马小跳,你说我是不是患了失忆症?"

马小跳不知道什么叫"失忆症",但他知道,找人模仿他老爸笔迹的事,今后再也不能干了。

都是马小跳惹的祸

秦老师教语文课教了快三十年了，她是全校最有经验的语文老师，所以每学期她都要上一堂语文示范课给全校的语文老师看。秦老师是全世界最认真的老师，如果一篇课文需要三四个课时来完成，那么秦老师为了准备这堂示范课，至少得用七八个课时。所以在上示范课之前，班上几乎每一个同学都能把课文倒背如流，都知道秦老师会提什么问题，而且已经把这些问题的答案背得滚瓜烂熟。种瓜得瓜，种豆得豆，秦老师每次上的示

范课都大获成功。

　　跟以往不同的是，秦老师这次要上的不是示范课，是公开课，不过性质都差不多，都是上给别人看的，这次是上给联合国教科文组织的官员看的，省里市里区里分管教育的官员也会陪同一起看。

　　秦老师虽然教学经验丰富，虽然上过无数次示范课、公开课、研究课，但还从来没有上过给外国人看的课。秦老师更加地认真起来。

　　秦老师这次公开课要上的课文是《亡羊补牢》，布置的家庭作业也是"亡羊补牢"：不是背诵，就是默写。每天都要用"亡羊补牢"造一个句子，每天都要把"亡羊补牢"的故事讲给家长听一遍。到了后面几天，马小跳的爸爸马天笑先生都怕了马小跳，一见马小跳要给他讲"亡羊补牢"，赶紧捂了耳朵求饶道："马小跳，你不要用'亡羊补牢'来烦我好不好？"

　　"亡羊补牢"成了马小跳对付他老爸的杀手锏，如果他提出一个什么要求，马天笑先生不愿意满足他时，他就用"亡羊补牢"来烦他。

离上公开课的时间只剩最后一天了，为了万无一失，秦老师作了最后的部署：贾小龙读课文，因为他爸爸是广播电台的播音员，每天晚上都要指导他朗读《亡羊补牢》，现在贾小龙已把《亡羊补牢》读得像播音员的朗诵了；解释生字、古词，比较简单一点，秦老师就安排了几个平时成绩不怎么好的同学来回答，这其中有唐飞和安琪儿；理解句子的含义，这要难一点，秦老师安排了几个学习比较好的同学来回答，这其中有丁文涛和夏林果；最后回答成语故事给人们的启示，这是最难的，最难的问题总是留给路曼曼的。

"秦老师，我呢？我呢？"

马小跳一直把手举到秦老师的鼻子底下。

秦老师有点拿马小跳无可奈何："马小跳，你又有什么问题？"

马小跳说："秦老师，你还没有给我分配问题。"

马小跳最喜欢在课堂上回答问题，秦老师居然忘了给他分配问题，你说他急不急。

"马小跳，你就用'亡羊补牢'造个句吧！"

"选哪一句呢?"

这十多天来,每天用"亡羊补牢"造一个句子,马小跳已经造了十多个句子。他不知道秦老师要他选哪个句子。

秦老师问马小跳:"你认为你哪个句子造得最好?"

马小跳想起有一个句子,秦老师在下面画了红波浪线的,他说:"我就造这个句子——'上个周末,爸爸没

时间带我去游乐场，亡羊补牢，这个周末他说他一定带我去。'"

"马小跳，你认为这个句子造得好吗?"

一看秦老师皱着眉头，马小跳就知道秦老师觉得这个句子并不好。可是，她为什么要在这个句子下面画红波浪线呢?

秦老师不再理会马小跳，她对全班同学说:"明天上课时，我提的每一个问题，全班同学都必须举手……"

马小跳又打断秦老师的话:"如果不会，也必须要举手吗?"

"其实我提的问题你们都会，这都是练习了很多次的。当然，如果有不会的，就举左手;会的，举右手。练兵千日，用兵一时，明天的课是上给联合国的官员看的，将会产生巨大的国际影响，所以每一位同学都一定不要掉以轻心，特别是马小跳同学。"

一想到明天的课要产生巨大的国际影响，马小跳就睡不着觉。后来，终于睡着了，又接二连三做梦，梦见他在课堂上想举手发言，他举右手，右手一点知觉都没

有，拼命举都举不起来。他只好举左手，可秦老师说过举左手只是摆摆样子，这就把马小跳急得出了一身的汗……

第二天，公开课是在阶梯教室里上的。教室后面的正中间，坐着一位金发碧眼、穿一身红色套裙的外国女人，她就是联合国教科文组织的官员凯瑟琳夫人。她的前后左右，坐着黑压压的一大片穿西服打领带的人，那些都是陪同她来听课的中国官员。

秦老师照她精心设计好的教案，一环扣一环，准确无误地往下进行。这些教学环节对学生来说，已毫无新鲜感，不知已排练了多少遍，今天不过是给大家表演一遍而已。

尽管马小跳知道，今天秦老师没有分配问题请他回答，但每当秦老师提出一个什么问题，马小跳还是把手举得老高老高，因为这是秦老师规定的。

课已接近尾声，按秦老师设计的教案，该是最精彩、最关键的部分了。马小跳看见坐在他身旁的路曼曼神情紧张起来，因为她知道秦老师马上就要请她回答分

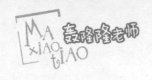

配给她的问题了。

"哪位同学愿意来说一说:《亡羊补牢》这篇课文,给了我们什么样的启示?"

教室里齐刷刷地高举起四十八只手,而且马小跳还仔细地看过了,每个同学都举的是右手,没有谁举左手,说明都能回答这个问题。但是,同学们都知道,这个问题秦老师早已分配给了路曼曼,他们举手只是做做样子。

按原计划,秦老师果然请了路曼曼来回答这个问题。

路曼曼站起来,马小跳感觉出她的腿有点抖,声音也有点抖。

"《亡羊补牢》这篇课文给我们的启示是:人难免会因一时的疏忽而犯下错误。当错误发生时,与其……"

一向伶牙俐齿的路曼曼居然会忘了词。因为平时练习过多次,马小跳已记熟了路曼曼要在今天课堂上说的每一句话、每一个词。

马小跳及时地低声给路曼曼提示道:"与其自怨自艾

……"

路曼曼接着往下说："与其自怨自艾，懊悔不已，不如打起精神，及时采取补救的措施。"

"路曼曼说得很好。"秦老师看马小跳拼命地举手，不请他回答问题恐怕不行，"马小跳，你有什么要补充的吗？"。

马小跳站起来说："我觉得路曼曼今天没有昨天说得好，昨天她……"

秦老师变了脸色，她低声地命令马小跳坐下。

教室里一片哗然，听课的人面面相觑。不言而喻，马小跳的话泄露了天机，那位凯瑟琳夫人精通中文，她当然也听懂了马小跳的话。她耸耸肩膀，对坐在她身边的校长说："校长先生，如果我没有理解错的话，刚才那个男孩子说那个女孩子，昨天比今天说得好，难道同样的课，你们的老师会重复地上几遍吗？"

"这个……这个……"

校长给凯瑟琳夫人解释了半天，心里还是七上八下的，不知他的解释是否挽回了国际影响。

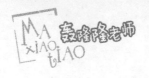
都是马小跳惹的祸。尽管校长和秦老师心里都这么想，但都不能明明白白地说出来，所以马小跳并不知道他惹了祸。

这一天，马小跳仍然过得很开心。

一个蛋两个蛋三个蛋

　　有一篇课文讲鸟妈妈孵蛋十分辛苦，把蛋捂在肚子下面，小心翼翼地用自己的体温去温暖这些蛋，在任何情况下，鸟妈妈都不会弄破这些蛋，甚至不惜用生命去保护这些蛋。

　　秦老师为了让同学们亲身体验鸟妈妈孵蛋的辛苦，从中体会出他们的爸爸妈妈养育他们的辛苦，她让全班每一个同学，随身带一个鸡蛋，坚持三天。在这三天里；必须蛋不离身，还得让蛋有人的体温，更不能将蛋

弄破。

同学们很兴奋，因为这件事情对他们来说很新奇。马小跳也兴奋了一阵，但接着又有些担心，他问秦老师："如果我孵出了小鸡怎么办？"

同学们都笑他，但马小跳没有笑，他是真的担心。秦老师见他不是在捣乱，便说三天时间是孵不出小鸡的。在这三天里，只要马小跳不把蛋弄破，她就要奖励他。

秦老师的奖励，就是一本作业本，在封皮上盖上一个"奖"字的红印。马小跳不稀罕作业本，但他稀罕那个"奖"字。毕竟，他很少得到奖励。

第一天，马小跳把蛋放在肚皮那里。他把衬衣扎在裤腰里，再把蛋放进去，这样蛋既能得到他的体温，又不会掉下来。

马小跳用双手小心翼翼地护住他的肚皮，一路叫着："闪开！闪开！开水来了！"

街上的人都怕烫着，一听"开水来了"，都赶紧闪开，自动地让出一条道来。马小跳大摇大摆走过去，一

路畅通无阻地来到学校。

也许是路上叫了太多的"水"，一进校门，马小跳就想尿尿，而且憋都憋不住。

马小跳向卫生间冲去，跟正从卫生间里出来的一个六年级男生撞了个满怀。马小跳只觉肚皮上一片冰凉，他知道是蛋破了。

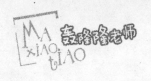

马小跳一把抓住那个大男生："你赔我！"

那个大男生比马小跳更凶，他猛地甩开马小跳："赔你什么？"

"赔我蛋！"

"赔你什么蛋？"

"赔我鸡蛋。"

那大男生一拍马小跳的脑袋瓜："我赔你个大笨蛋！"

马小跳的尿快憋不住了："你等着，我尿完了再……"

马小跳哗哗地尿完了，转身来找那个大男生，但那人早已不见踪影。

马小跳十分狼狈，他的身上到处粘着黏糊糊的蛋液。他用了好多纸去擦，还没擦干净，就听上课铃响了。

马小跳一出现在教室里，所有的人都知道他把蛋弄破了，因为他身上的那件衬衣已被蛋液脏得不成样子。

跟马小跳同桌的路曼曼还明知故问："马小跳，你的蛋呢？"

坐在他前面的毛超也来打趣："马小跳，我们都盼着你把蛋孵出小鸡来呢。"

愤怒的马小跳把课桌猛推几下，吓得毛超赶紧转过身去护住他的蛋。路曼曼也尖声叫起来："我的蛋！我的蛋！"

"有什么了不起？"马小跳很有些气不过，"我明天重新带一个蛋来。"

"你不能带，你的蛋已经破了。"路曼曼说，"秦老师说了，只有把一个蛋带在身上三天不破的，才有资格得到奖励。"

"我偏带！我偏带！"

第二天，马小跳还是带了一个鸡蛋到学校去。他觉得像昨天那样，把鸡蛋放在肚皮那里太不安全，别人一撞就破了。今天他要把鸡蛋放在裤兜里。裤兜在腿上，谁会来撞他的腿呢？

马小跳把鸡蛋放在裤兜里，果然很安全。上完第一节课，鸡蛋还好好地在裤兜里；上完上午的四节课，嘿，鸡蛋居然还没有破。到了下午快放学的时候，秦老

师检查每个人的鸡蛋，检查到马小跳，马小跳一摸裤兜，瘪瘪的，鸡蛋没有了。

"马小跳！"秦老师盯着马小跳，"你的鸡蛋呢？"

"没有了。"

"怎么会没有了？是不是又破了？"

"没有破。"马小跳东看西看，东找西找，"只是不在了。"

毛超说："马小跳的鸡蛋肯定变成了小鸡，跑掉了……"

"毛超！"

秦老师大喝一声，毛超赶紧闭嘴。

"马小跳呀马小跳！"秦老师恨铁不成钢地说，"昨天，你的蛋破了。今天，你的蛋又丢了，你真是一点责任心都没有。"

马小跳是有责任心的。这一点，马小跳一定要证明给秦老师看。

第三天，马小跳还是把鸡蛋放在裤兜里，但是，用别针把裤兜口别了起来，哈哈，这下子鸡蛋想跑也跑不

掉了。

尽管知道别针锁住了裤兜口，鸡蛋是不会再跑掉了，马小跳还是过一会儿就去摸摸裤兜，鼓鼓的，鸡蛋没跑。一直到下午放学前，秦老师检查每个同学的鸡蛋，马小跳的手紧紧地捂在裤兜上，他怕在这最后的关头，鸡蛋又跑掉了。

当马小跳把鸡蛋拿出来时，秦老师又惊又喜，马上表扬了马小跳，说马小跳能把鸡蛋保护好一天，对他这样的孩子来说，已经很不错了。她让马小跳把这个蛋带回去送给他的爸爸妈妈。

马小跳恨不得马上就把这个他保护了一天都没有破、也没有丢的鸡蛋，送给他的爸爸妈妈。在回家的路上，马小跳又有了一个很好的想法：他要在这个鸡蛋上用荧光笔写上字，再送给爸爸妈妈。

路过一家大超市，马小跳进去了，他知道里面卖荧光笔。

马小跳一进超市，就引起了一个保安人员的注意。因为他的手一直捂着那个装着鸡蛋的裤兜。

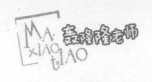
马小跳挑了一支绿色的荧光笔，到收银台去交了钱。在超市的出口，却被几个手握对讲机的保安人员拦住了。

"小朋友！"一个保安人员指着马小跳用手捂得紧紧的裤兜，"你那里装的是什么？"

"不告诉你们。"

马小跳越不告诉他们，他们越想知道马小跳的裤兜里到底装的是什么。他们一起动手，马小跳拼命地捂紧裤兜，结果，鸡蛋破了。

马小跳哇的一声哭起来。

"你哭什么？不就是一个鸡蛋吗？"

"这孩子真怪，

身上放个鸡蛋干什么?"

"别哭啦! 别哭啦! 赔你一个好不好?"

马小跳还是哭。

"赔你两个, 十个, 总可以了吧?"

"赔我一百个我都不要, 我就要这一个。"马小跳哭
得更伤心了,"这是我保护了一天的鸡蛋, 呜呜呜……"

三种颜色的心情卡

有一天，有一家儿童报纸的记者到马小跳他们班来调查，调查他们的童年是不是快乐，结果，从交上去的调查表上统计出，全班有近一半的学生不快乐。

"怎么会呢？怎么会有这么多的孩子不快乐？"

这样的调查结果，显然出乎秦老师的预料。她有点震惊，也有点内疚，有那么多孩子感到不快乐，她作为老师，是有责任的。

秦老师很着急，她想让所有的孩子都快乐，首先她

得知道，哪些孩子是快乐的，哪些孩子是不快乐的。

秦老师总是有办法的。她发给每个学生三张卡片，一张红色的，一张绿色的，一张黄色的。

"这是心情卡。"秦老师说，"如果你今天心情是快乐的，你就别上这张红色的心情卡；如果你今天的心情是不快乐的，你就别上这张绿色的心情卡；如果你今天的心情一般，你就别上这张黄色的心情卡。"

开始几天，马小跳每天都别着红色的心情卡，他没有一天是不快乐的。班上的同学，大多数别着黄色的心情卡，也有几个同学别着绿色的心情卡，秦老师就会把

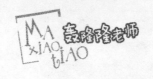
这些同学留下来，反反复复地问他们为什么不快乐，她要他们把不快乐的事情讲出来！

这些本来不快乐的同学，很怕把自己不快乐的事情讲出来，更怕秦老师把他们留下来，所以都违心地别上了红色的快乐心情卡。

后来，全班同学都别上清一色的红色心情卡。看到全班同学都快乐起来了，秦老师自然比谁都高兴，她想她搞的这个心情卡的活动还真灵，那么多不快乐的孩子，一下子都快乐起来了。

马小跳应该是所有的人中最快乐的一个。但他不知怎么搞的，偏偏把红色心情卡搞丢了，他只有把代表一般心情的黄色心情卡别在胸前。

马小跳一到学校，就引起了秦老师的注意。全班同学都别着红色的心情卡，全班同学都快乐，就只有马小跳别着黄色的心情卡，就只有马小跳的心情一般，秦老师一定要搞清楚一直都很快乐的马小跳，为什么会心情一般。

下午放学，本来要急着回去看动画片的马小跳被秦

老师留下来了。

"马小跳，在秦老师的心目中，你一直是很快乐的孩子，怎么……"

马小跳想如果他告诉秦老师说，他把红色心情卡搞丢了，秦老师一定会批评他，所以马小跳这样说："人的心情是会变的，昨天跟今天不一样，今天跟明天不一样……"

"你的意思是说，昨天你是快乐的，今天你就变了，变得心情一般？"

"是这样的。"马小跳想快点回家，"秦老师，我可不可以回家了？"

秦老师不同意："你还没有给我说，为什么昨天你是快乐的，今天就有了变化。"

"这……"

"你讲出来吧！有什么问题，咱们就解决什么问题，秦老师会帮助你快乐起来的。"

"谢谢秦老师。"马小跳给秦老师鞠了一躬，"如果你现在放我回家看少儿剧场的动画片，我马上就会快乐

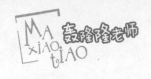
起来。"

秦老师问："就这么简单？"

对于马小跳来说，快乐是一件简单的事情，不快乐也是一件简单的事情，只有大人才会把简单的事情搞得很复杂。

秦老师终于放马小跳回家了。但是马小跳回到家里，打开电视，调到少儿频道，他喜欢看的动画片刚好演完，正在显示片尾的字幕。

马小跳啪的一声关了电视，坐在沙发上生起气来。

"马小跳！"

马小跳的爸爸马天笑先生下班回来了，一进门，他就要叫马小跳。

马小跳猛一转身，用背对着他的爸爸："别理我，我烦！"

马天笑先生不相信他的儿子会烦，在他的心目中，他儿子总是欢天喜地的。

"有什么烦的，讲给老爸听听。"

马小跳真的很烦，他烦秦老师，他烦马天笑先生，这些大人真够烦的。本来他不烦，就是被他们惹烦的。

第二天，想起昨天没看成动画片，马小跳一早起来就不快乐，马小跳别着绿色的心情卡，去了学校。

全班同学的心情卡红成一片，马小跳的绿色心情卡格外引人注目。

马小跳又被秦老师叫了去。

"马小跳，你今天的心情又变了？"

马小跳心里烦得很。

"说吧，马小跳，把你不快乐的事情都说出来！"

马小跳豁出去了，豁出去就是什么话都敢讲了。

"昨天，你把我留下了，讲了半天快乐不快乐的问题，结果我回家后没有看到动画片，所以我今天不快乐。"

秦老师拉下脸来："这么说，你的不快乐是我造成的？"

马小跳没吭声，但他心里在说："的确如此。"

也不知是不是马小跳的话对秦老师有些触动，从此以后，秦老师不再规定同学们每天都别心情卡。而心情卡的三种颜色，更没有任何意义了。

会变魔术的轰隆隆老师

咚！咚！咚！

咚！咚！咚！

走廊上响起了这样的脚步声。这个人一定穿着一双很大很大的皮鞋，是棕色的，还是黑色的？马小跳在想象。

脚步声越来越近，越来越近……

吱的一声，教室门被推开一条缝，先伸进来一个头发梳得光光的脑袋，然后挤进一个瘦瘦的人来。

咦，他是谁？这节课是科学课，他进来做什么？

科学课的老师是一个胖乎乎的、笑嘻嘻的爱穿大花袍的女老师，每次她走进教室，就像被推进来一个巨大的花篮。后来马小跳偷听到女生们交头接耳的悄悄话，原来这个女老师爱穿大花袍，是为了遮盖她鼓起的肚子，她肚子里有小宝宝了。

"王老师生小孩去了。从今天起，我来给你们上科学课。"

这个人的声音有点沙哑，有点像唐老鸭的声音。

"你们还不认识我吧？"

他从讲台后面伸长了脖子问大家，他的脖子也像鸭脖子。

"不——认——识！"

全班同学拖声拖气地回答。

"不认识没关系，你们马上就会认识我。"

他转身用粉笔在黑板上写了两个大字：雷鸣。

"知道这个名字的意思吗？"

嘿！这个老师有点意思，从来没有哪个老师会问学

生这样的问题。

"不知道吧？不知道吧？"好像大家不知道，他才特别开心，"打雷的声音总听过吧？"

"轰隆隆！轰隆隆！"

教室里轰成一片。

"正确，完全正确。"他十分满意地点点头，"我的名字就是这个意思。"

"雷鸣老师"就是"轰隆隆老师"。

轰隆隆老师从讲台后面走出来。马小跳把头偏到过道上，去看他脚上的鞋。果然，他穿着一双很大很大的皮鞋，但不是黑

色的，也不是棕色的，是那种很脏的颜色。

轰隆隆老师穿的长裤才奇怪呢！长裤上至少有十几个大大小小的口袋，每一个都是胀鼓鼓的，不知里面装的是什么。

马小跳问他的同桌路曼曼："你说他口袋里装的是什么？"

路曼曼根本不理他，马上在小本子上给他记了一笔。路曼曼的这个小本子，是专门记录马小跳的不良表现的，秦老师对马小跳每节课的表现了如指掌，就是因为她每天都要看这个小本子。

马小跳的求知欲是非常强烈的，如果他要想知道什么，不达到目的是决不罢休的，他才不在乎路曼曼的那个小本子呢！

马小跳又转过头去问他身后的唐飞："你说他裤子上那些口袋里装的是什么？"

唐飞说："是炸弹。"

马小跳嘎嘎地笑起来。路曼曼在小本子上又给他记上了一笔。

　　"你们看我的手上有什么?"

　　轰隆隆老师举起他的两只大手掌,马小跳的注意力回到他的手上,他手上什么都没有。

　　轰隆隆老师的手向前一抓,一个鸡蛋握在了他的手心里。

　　"这是什么?"

　　"鸡——蛋。"

　　全班同学又拖声拖气地回答。

　　唐飞在后面戳马小跳的背:"马小跳,不是炸弹,是鸡蛋。"

　　马小跳扭过头来:"他手上的是鸡蛋,口袋里的很有可能是炸弹。"

　　路曼曼又在小本子上,给马小跳记上一笔。

　　"你们谁能让这鸡蛋立在桌子上?"

　　"我来! 我来!"

　　马小跳是班上的举手大王,老师提的每一个问题,他都会举手。而且,他的手举得特别高,身子还往前倾,就像冲锋的样子。

马小跳走上讲台，从轰隆隆老师手上接过那个鸡蛋，想把它立在讲桌上，还没立上一秒钟，鸡蛋就躺下了。

"马小跳，你真笨！"张达在下面拼命地举手，几乎把课桌都掀翻了，"老师，我来我来！"

马小跳灰溜溜地下去，张达兴冲冲地上来。

跟马小跳一样，张达立起鸡蛋，手离开鸡蛋还不到一秒钟，鸡蛋又躺下了。要不是轰隆隆老师出手快，那个鸡蛋一定滚下讲桌，摔个稀巴烂了。

张达灰溜溜地下去，路曼曼又兴冲冲地上来。

路曼曼把那个鸡蛋捣弄了很久，下面的同学都等得不耐烦了，有的在起哄，有的在敲桌子，有的干脆不看她了。

几个同学都没有把鸡蛋立起来，轰隆隆老师似乎格外开心。

"真的就没有谁可以把这个鸡蛋立起来吗？"

"没——有！"

全班同学拖声拖气地回答。

啪的一声，全班同学都吃了一惊。

轰隆隆老师像盖图章一样，把那个鸡蛋往桌上轻轻地一击——蛋壳碎了，鸡蛋却稳稳地立在了桌子上。

"看，这不是立起来了吗?"

哇噻，就这么简单，怎么都没想到呢? 全班同学都在唉声叹气，都在敲自己的后脑勺，都在怪自己的脑神

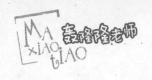

经暂时短路。

轰隆隆老师似乎很喜欢看学生们追悔莫及的样子。

"今天让你们立鸡蛋，就是为了要打开你们的思路。只要思路一打开，什么事情都容易做了。"

真的像轰隆隆老师说的那样，在他的科学课上，同学们做什么都变得容易，因为大家的思路都被轰隆隆老师打开了。

马小跳天天都想上科学课，可惜每星期就只有一节科学课。现在，轰隆隆老师成了马小跳崇拜的偶像，他崇拜他的一切，包括梳得光光的头发，包括穿有很多口袋的衣服，包括穿脏不啦叽的大皮鞋，还包括……当然，马小跳最崇拜的，是轰隆隆老师会变魔术。

穿大皮鞋的小个子贼

　　不知是中午吃粉蒸排骨吃得太多，还是吃了粉蒸排骨后马上又接着吃冰激凌，反正下午刚上课，马小跳就向秦老师报告，说他肚子疼。秦老师问他，是不是疼得很厉害，他说就像有一条虫在肚子里钻来钻去。

　　秦老师把马小跳带到办公室，从抽屉里找出一个热水袋来，灌满热水，让马小跳捂在肚子上。

　　"你先在办公室休息一会儿，如果过一会儿还疼，就要上医院找医生看了。"

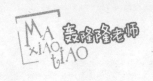
秦老师说完又到教室去了。

老师们都上课去了，所以办公室里除了马小跳，一个人都没有。马小跳捂着热水袋，坐了一会儿，肚子还是疼。他干脆又抬来一把椅子，跟秦老师的那把椅子拼在一起当成床，躺在上面舒服多了。

因为有办公桌挡着，外面的人看不见他，他却能从办公桌的下面看见外面。刚躺了一会儿，马小跳就看见一双巨大的高帮皮鞋出现在办公室的门口。

"谁会穿这样的一双皮鞋呢？"

马小跳首先想到的是教科学课的轰隆隆老师。但他走路会发出咚咚咚的皮鞋声，而且，他的脚好像没有这么大，不会是他。

学校的男老师只有几个，马小跳排除了对轰隆隆老师的嫌疑，马上又想到了教体育的田老师。田老师身高超过一米八，脚是有这么大，但田老师向来只穿运动鞋，从来不穿皮鞋，更不穿高帮皮鞋，肯定不会是他。

马小跳看见这双高帮皮鞋在办公室里走来走去，轻轻地，没有发出一点声音。马小跳很想知道穿着这双鞋

的人是谁，但他躺在椅子上很舒服，肚子也不那么疼了，所以他懒得起身来看这人是谁，继续躺着往下猜。

学校的男老师一个一个地都被排除了，校长也是男的，但校长的皮鞋头是尖的，再说，校长的脚也没有这么大。

剩下的就只有学校食堂的大师傅了。有一个又高又胖的大师傅，每次他给马小跳打饭的时候，都会瞪马小跳两眼。马小跳想他今天肚子疼，会不会是粉蒸排骨害的？而这粉蒸排骨，又会不会是这个胖师傅做的？

马小跳认定了穿这双高帮皮鞋的人，就是食堂的胖师傅。他一挺身坐了起来，正看见那个人从秦老师的手提包里掏出一个牛皮纸纸袋来，从纸袋那里露出一沓钞票。马小跳清楚地记得，今天班上的同学都交了校服费，秦老师把交上来的钱都放在这个纸袋里，纸袋上还写着交了钱的同学的名字呢。

小偷？

这个人显然不是食堂的胖师傅，他烫着一头卷毛儿，非常瘦小，马小跳奇怪他怎么会有那么大一双脚。

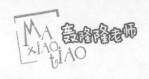

卷毛儿刚才在办公室门口侦察了半天，确定了没有人才进来的。现在突然冒出个马小跳来，他的魂儿都被吓飞了，手中的纸袋掉在地上，百元大钞撒了一地。

卷毛儿没去拾钱，直直地瞪着马小跳。他怕蹲下去捡钱的时候，马小跳就跑出去叫人。

马小跳反应很快，他说："我帮你捡钱。"

马小跳蹲在地上，把撒在地上的钱装进纸袋里，又爬到一张办公桌下面去。

卷毛儿急了："快把钱给我！"

马小跳在桌子下面说："这儿还有几张一百元的呢！"

卷毛儿弯腰一看，在桌子缝的下面，果

然有几张百元大钞。其实，这是马小跳刚从纸袋里抽出来，撒在那里的，他在拖延时间。

卷毛儿又催道："捡完没有？"

马小跳说："还有两张，我手够不着。"

"你快点。"卷毛儿的眼睛四处张望，"是不是快下课了？"

"离下课还早呢！"

马小跳在几张办公桌下爬来爬去。他看见有一个柜门边露出一截橡皮筋，一抽，好长好长。马小跳把长长的橡皮筋一头拴在办公桌的腿上，然后又悄悄爬到卷毛儿的脚边，把橡皮筋的另一头，拴在卷毛儿的脚上。

"捡完没有？"卷毛儿弯下腰来看桌子下面的马小跳，"你快点啊！"

"快了快了，还有最后一张。"

马小跳终于从办公桌下面出来了。

"把钱给我？"

马小跳隔着一张办公桌，把钱高高地举在手上，对卷毛儿说："来呀，你过来拿呀！"

卷毛儿像饿狼一样，向马小跳扑过去。

啪的一声，卷毛儿绊倒在地上，马小跳飞快地从垃圾桶里抽出黑色的垃圾袋，套在卷毛儿的头上。

卷毛儿什么都看不见了，尽管他在拼命地挣扎，马小跳还是用那根长长的橡皮筋，从头到脚像捆缠丝兔一样，把卷毛儿捆了起来。

离下课的时间还有几分钟，秦老师提前回到办公室来了，她是来看马小跳的，看他的肚子还疼不疼。

一进办公室，秦老师就看见了地上躺着一个像缠丝兔的人。

"马小跳，这里发生了什么事？"

"他是个小偷，他偷你的钱。"

马小跳把那个装着全班同学校服费的牛皮纸纸袋交给了秦老师。

秦老师接过纸袋，又看看地上的小偷，问马小跳："这钱是你夺回来的？这人也是你捆起来的？"

马小跳摆摆手，做出不值一提的样子："这算什么？比《小鬼当家》里的那个小鬼差远了。"

秦老师没有看过美国电影《小鬼当家》，所以她不知道马小跳说的小鬼是什么样的小鬼。

秦老师让马小跳看着小偷，她去打电话叫人来。

马小跳一把扯下蒙在小偷头上的黑色垃圾袋，他有一个问题要问小偷："你这么小的个子，为什么要穿这么大的一双皮鞋？"

小偷说："如果我在什么地方留下了脚印，人们就会怀疑是个大个子，而不会想到是我这样的小个子。"

马小跳觉得他说的有道理。怪不得他刚才躺在椅子上，从办公桌下面看见那双大皮鞋，也在猜测穿这样皮鞋的人一定是个大个子呢！

马小跳的日记

　　秦老师在课堂上说："日记就是记你一天所看的、所做的、所说的、所想的。日记必须是很真实的，写作文还允许虚构，写日记是绝对不允许虚构的，所以，日记又是一个人的隐私，别人是不可以看的。"

　　马小跳不知道什么是"隐私"，但他记住了这样一个意思：你写的日记，别人是不可以看的。

　　有一天，秦老师布置的家庭作业，就是写一篇日记。

吃过晚饭，马小跳开始写日记。今天有一件事情，一直令他耿耿于怀，一直让他不开心。虽然吃晚饭的时候，那一盘水煮大虾让他开心了一会儿，但吃完晚饭后，他又想起这件事情，真的没法开心起来。

今天的日记，马小跳要把这件事情记下来：

今天上美术课，我用削笔刀削了两支彩色铅笔。路曼曼看见我削笔，她也要削，就找我借削笔刀，她说如果我不借给她，她一辈子都不理我。后来，我还是把削笔刀借给了她，她一连削了四五支彩色铅笔，把铅笔屑儿都削到我的椅子下。结果，秦老师批评我破坏班上的清洁卫生，要罚我今天一个人打扫教室。我说路曼曼也削了，要罚就应该罚我们两个人打扫教室。没想到路曼曼竟会撒谎，她坚决不承认她削了笔，她说她根本就没削笔刀。秦老师相信了她，说像路曼曼这样的好学生，绝不可能把铅笔屑儿削在地上。

真是气死我了。还是毛超、唐飞和张达够哥

们，为了等我去踢足球，他们偷偷地帮我做了清洁，还劝我不要生气。张达说秦老师本来就是个偏心眼。毛超说爱撒谎的女孩子会变成丑八怪。唐飞说，他好像听人说，秦老师是路曼曼的亲戚，所以对她才那么偏心眼。

我真的很生气，生路曼曼的气，生秦老师的气。后来，回到家里吃了妈妈做的大虾，才不那么生气了。

马小跳刚要把写好的日记收起来，他爸爸就走过来要检查作业。

"你不可以看！"马小跳双手护住他的日记，"日记是不可以拿给别人看的。"

"你有没有搞错？"马天笑先生指着他自己的额头，"我是别人吗？我是你老爸！"

"是我老爸也不能看。"

马小跳牢牢记着秦老师的话：别人是不可以看你的日记的。

"好好好！"马天笑先生知道怎么对付马小跳，"你不给我看，我也知道你写的是什么。"

马小跳果然上当："写的是什么？"

"跟路曼曼有关。"

"你怎么知道的？"

马天笑先生仰天大笑："我是谁呀？你小子尾巴一翘，你老爸就知道你是拉屎还是撒尿。"

其实，马天笑先生也是胡蒙马小跳的。不过是有一次，马小跳赔路曼曼一条裙子，马小跳想让马天笑先生买好一点的裙子赔给路曼曼，就跟他讲路曼曼长得如何如何漂亮。从此以后，马天笑先生就经常拿路曼曼来打趣马小跳。

第二天上学，路曼曼要马小跳交日记。

"为什么要交日记？"马小跳对路曼曼很凶，"你想看我的日记吗？"

"谁稀罕看你的破日记？"路曼曼对马小跳更凶，"你交不交？"

"不交。"

"我去告诉秦老师。"

马小跳才不怕呢！他想这是秦老师亲口说的：不可以看别人的日记。

很快，路曼曼就把秦老师搬来了。

"马小跳，为什么不交日记？"

马小跳说："你不是说，不可以看别人的日记……"

"我是说过这样的话，但是——"秦老师语气一转，"我这是布置作业，你不交上来给我看，我怎么知道你会不会写日记？"

马小跳想到他日记的内容，心有点虚："我……不知道要交……"

秦老师厉声问道："马小跳，你是不是没写？"

"写了的。"

"既然写了，为什么不交？"

马小跳没有退路了，只好把他昨晚写的日记交出来。他有一种预感：大祸要临头了。

果然，中午放学的铃声刚响，秦老师就堵在教室门口，叫马小跳、张达、唐飞、毛超到办公室去。

马小跳心知肚明，但张达、唐飞和毛超三个却丈二和尚——摸不着头脑。

张达说："我今天没犯什么事呀！"

唐飞说："我今天也没怎么着呀！"

毛超问马小跳："马小跳，你呢？"

马小跳说："去了不就知道了！"

四个人一排，端端正正地站在秦老师的面前。

"知道你们为什么站在这里吗？"

除了马小跳，其他三个都摇头。

秦老师拿起马小跳的日记本："马小跳的日记，暴露了这么几个问题：第一，昨天我罚他一个人扫地，你们几个是不是都去帮了他？"

三个人狠狠地瞪了马小跳一眼，然后都点头。

"第二个问题：张达，你昨天是不是说了我偏心眼？"

张达从后面狠狠踢了马小跳一脚。

"第三个问题：毛超，你昨天是不是说过路曼曼爱撒谎，会变成丑八怪一类的话？"

毛超的手，悄悄伸到马小跳的身后，揪住他屁股上的一块肉，狠狠一拧。

"哎哟……"

马小跳叫起来。

"干什么？站在办公室还不老实！"

四个人都老实起来，听老师往下说。

"第四个问题——"这个问题好像最严重，秦老师的脸色变得非常不好看，"唐飞，你是听谁讲的，我是路曼曼家的亲戚？"

秦老师的两只火眼金睛，死死地盯着唐飞。唐飞像一堆奶油，快被这火眼金睛射化了。

"我……没听谁说，我胡编的……"

唐飞的鼻涕眼泪都出来了。

幸好秦老师要开会。她让他们四个都回去写检查，明天再来处理。

四个人做出低头认罪的样子，刚一走出秦老师的视线，马小跳便像逃命的兔子，飞奔起来。

张达、毛超和唐飞，在后面紧追不舍，他们饶不了马小跳。

瞌睡虫在教室里飞飞飞

瞌睡虫是在一个夏天的下午，飞进教室里来的。

瞌睡虫比蚊子大一点点，比蜜蜂小一点点，翅膀是透明的，身体是透明的，像一只玻璃虫。如果它不从黑板前飞过，是很难发现它的。

马小跳他们班正在上科学课。

教科学课的雷鸣老师，也就是轰隆隆老师，讲课的声音很大，一层楼都听得见，他讲课还喜欢做动作，喜欢模仿各种各样的声音，比如讲到猫，他就学猫叫；讲

到狗，他就学狗叫；讲到狮子，狮子不是叫是吼，他就学狮吼；讲到鱼，除了河里娃娃鱼会叫，海里的大鲸鱼会叫，其他的鱼好像不太会叫，他就嘴巴一张一张、身子一扭一扭，学鱼吐泡泡的样子……总之，轰隆隆老师讲课就像讲故事一样，手舞足蹈，绘声绘色，同学们都喜欢上轰隆隆老师的课。

轰隆隆老师在讲地球，他的手指在地球仪上轻轻一拨，地球仪就飞转起来。

"你们说，这个地球像什么？"

张达做梦都想当足球明星，他说地球像足球。

足球是被人踢来踢去的，人都住在地球上，地球怎么可以拿来踢？张达的比喻显然有些荒唐，所以轰隆隆老师没有表扬他，就叫他坐下了。

马小跳是班上的举手大王，老师提的每一个问题他都会举手，不管这个问题他能不能回答，甚至他根本没听明白老师提的问题，他都举手，而且如果不让他回答，他决不把手放下来。

现在，马小跳又举手了，而且一直把手举到轰隆隆老师的鼻子底下。

"马小跳，你来说说，地球像什么？"

"地球像……像……"

马小跳又一时神经短路，想不起地球像什么。

路曼曼在旁边捂着嘴，哧哧地笑。坐在前面的毛超也转过头来笑他。毛超的头发昨天被他妈剪了，剪得长长短短，乱七八糟。马小跳看着毛超的头，一下子有了灵感。

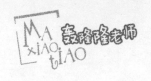

"毛超的头，像地球，有山有水有河流……"

"哈……"

全班笑得人仰马翻。

轰隆隆老师不敢再叫同学们说"地球像什么"了，再说下去，还不知道会说出什么来。

接着，轰隆隆老师讲地球的公转和自转。他说地球绕着太阳转，需要一年的时间，所以有了春夏秋冬四季。地球除了围绕太阳公转，还要自转，转一次需要二十四个小时，所以有了白天和黑夜。

毛超转过头来对马小跳说："怪不得我经常头晕，都是地球惹的祸。"

轰隆隆老师走过来敲毛超的课桌："毛超，你在说什么？"

马小跳抢着帮毛超回答："他说怪不得他经常头晕，都是地球惹的祸。"

轰隆隆老师不明白："咳，你头晕怎么能怪地球呢？"

马小跳抢着帮毛超回答："地球除了公转，还要自转，转来转去，就把他的头转晕了。"

"哈——"

教室里笑得天翻地覆。

这个问题也不能再讲下去了。

轰隆隆老师开始讲地球上的动物。他瞪着眼睛，龇着牙齿，高声问道："老虎为什么喜欢吃肉，不喜欢吃草？"

那只像玻璃虫一样的瞌睡虫围绕着轰隆隆老师飞舞。轰隆隆老师做了个老虎伸出爪子的动作，就把瞌睡虫吓跑了。

瞌睡虫从黑板前飞过，马小跳看见了那只瞌睡虫，他的眼球一直跟随着瞌睡虫在转动。

瞌睡虫飞飞飞，飞进了毛超的耳朵里。毛超接连打了几个哈欠，眼皮打起架来，最后干脆闭上了。

"毛超！毛超！"

轰隆隆老师的声音更大了，像狮子在吼，"上课睡觉，你胆大包天！"

毛超使劲地把眼睁开，但很快又闭上了。

轰隆隆老师想到他平时上课用心又用力，居然还有人上他的课睡觉，所以有些悲哀地问大家："我讲课，你们不爱听吗？"

"爱——听！"

全班同学拖声拖气地回答。

"那为什么还有人睡觉呢？"

马小跳举手回答："因为有一只瞌睡虫飞进了毛超的耳朵里了。"

轰隆隆老师皱了皱眉头："马小跳呀马小跳，你总是一派胡言乱语。你坐下，我不允许你再发表任何言论。"

马小跳急了，不顾一切地大声说道："真的，我亲眼看见一只瞌睡虫飞进毛超的耳朵里。"

轰隆隆老师不再理马小跳，他见路曼曼坐得挺端正，就说："瞧人家路曼曼，每节课都听得这么认真，你们都要向路曼曼学习哦。"

这时，瞌睡虫从毛超的耳朵里飞出来，围绕着路曼曼飞了几圈，从她左边的耳朵里飞进去，又从她右边的耳朵里飞出来。

路曼曼啊啊地打了个大哈欠，趴在课桌上睡着了。

"怎么你也……"轰隆隆老师对路曼曼也不满意了，"刚受到表扬，马上就骄傲了。"

马小跳管不住自己的嘴巴，又发表言论了："谦虚使人进步，骄傲使人落后。"

轰隆隆老师瞪了马小跳一眼，马小跳赶紧管住自己的嘴巴。

瞌睡虫在教室里飞飞飞。

从安琪儿右边的耳朵里飞进去，又从安琪儿左边的耳朵里飞出来。

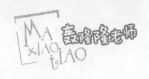

从张达左边的耳朵里飞进去，又从张达右边的耳朵里飞出来。

哈欠好像可以传染一般，这个打过来，那个打过去，在教室里打成一片。

"你们晚上都干什么去了？"轰隆隆老师很生气，"难道都没有睡觉吗？"

马小跳看见瞌睡虫飞进了轰隆隆老师的耳朵里。

"啊——啊——"

轰隆隆老师打了一个好大好大的哈欠，他的上眼皮和下眼皮也打起架来。

午睡的时候

　　到了夏天，学生们中午在学校的食堂里吃了午饭后，生活老师就像赶羊群一样，把学生们赶到一间摆满了小木床的休息室里，集体午睡。

　　马小跳最讨厌午睡。他不明白，为什么在夜里睡了觉，白天还要睡觉；更不明白的是，人在不想睡觉的时候，为什么非要强迫他睡觉。

　　因为生活老师把马小跳盯得特别紧，所以马小跳根本没法从休息室里溜出去。但马小跳可以把好多好玩的

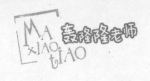

东西，悄悄地带到学校里来，在午睡的时候玩。

这天，马小跳把他爸爸的高倍望远镜带来了，他睡的床靠窗，正对着隔着一个大操场的教学大楼。

马小跳举起望远镜，就把远处的教学大楼一下子拉到了眼前。没有学生的教学大楼显得很空，只有几间办公室里有人。

马小跳先看校长办公室。校长正在打哈欠，他的嘴巴真大啊，好像要把马小跳生吞下去。校长打完了哈欠，便在一张长沙发上睡起觉来。马小跳明白了，怪不得学校要让每个学生睡午觉，原来是校长要睡午觉。看着校长的大肚子一起一伏，马小跳估计他是睡着了。但是，睡着了为什么还睁着眼？马小跳想，如果晚上睡觉，校长也这样睁着眼睛，非吓死人不可。

马小跳把望远镜从校长办公室移开，其他办公室也没什么好看的，有的老师在看报纸，有的老师也不知道在干什么，好像在发呆。秦老师仍然在批改作业。马小跳想不通，她好像永远有批改不完的作业。每次马小跳去办公室，都看见她在批改作业。

马小跳不想看秦老师批改作业，正想把望远镜移开，突然，教美术的林老师进入到他的视线里，这可是他最喜欢的漂亮老师。

林老师坐在她的办公桌前，拉开了抽屉。马小跳看见抽屉里有好多吃的，林老师吃了薯片，又吃果冻，又喝酸奶。接着，林老师从手提包里拿出一个很漂亮的化妆盒来，对着化妆盒里的小镜子，抹起口红来。

林老师的嘴长得真好看，像两片红红的花瓣，弯弯的嘴角向上翘。马小跳把望远镜移到秦老师的嘴上，秦老师的嘴也是弯弯的，但嘴角是向下撇的。马小跳得出一个结论：林老师看起来一点都不凶，因为她的嘴角是向上翘的；秦老师看起来有点凶，因为她的嘴角是向下撇的。

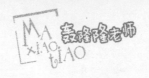

马小跳把望远镜往下移。底楼的最后一间是实验室，里面放着大大小小的玻璃瓶和高高矮矮的实验仪器。教科学课的轰隆隆老师正在里面，他也是马小跳喜欢的老师。除了喜欢，马小跳还有些崇拜他，因为他会变魔术。

天气已经比较热了，轰隆隆老师仍然穿着那条起码有十几个口袋的长裤子。马小跳看见他的两只手，同时从两个裤袋里摸出两个鸡蛋，放在桌子上；两只手同时又伸进另外两个裤袋，又摸出两个鸡蛋，放在桌上。哈哈，马小跳笑起来：这个轰隆隆老师好像特别喜欢鸡蛋，他随时都可以从裤袋里摸出鸡蛋来。

轰隆隆老师拿鸡蛋来做什么？

只见轰隆隆老师在桌上摆了四个玻璃杯，又在每个杯里倒进半杯红色的液体，然后将一块长方形的小木板盖在玻璃杯上。轰隆隆老师又从裤袋里摸出四个像5号电池那样大小的塑料管来，对着四个杯口，立在小木板上。最后，才将鸡蛋分别放在管口上。

这一切都做好了后，轰隆隆老师握着一根打台球的

球杆，也像打台球的人那样，猫着腰，围着桌子转了两圈，好像在选击球的角度。

轰隆隆老师终于选好了一个角度，球杆在他的手中伸缩了一下，猛地向前一击，击在木板的边缘上，木板和塑料管都飞了出去，四个鸡蛋却落进四个玻璃杯里。

"好啊！"

马小跳欢呼起来。

"马小跳！"生活老师从外面伸进头来，"你还没睡？"

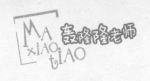

　　"我睡了，我在说梦话。"马小跳说，"老师，我要尿尿。"

　　马小跳想要点小阴谋溜到实验室去。

　　"别跟我要花招。"生活老师识破了马小跳的阴谋，"我知道你想溜出去玩。"

　　马小跳耍赖道："那我就尿在床上。"

　　生活老师还是怕马小跳真把尿尿在床上，只好让他去了。

　　马小跳向卫生间跑去。他发现生活老师跟在他的后面跑，就停下来问道："你跟着我干什么？我去男厕所。"

　　"我跟你去。"

　　马小跳叫起来："女的不能进男厕所。"

　　"我不进去。"生活老师站在卫生间的门口，"我在这里等你。"

　　马小跳进去了，半天不出来。

　　"马小跳，你尿完没有？"

　　马小跳在里面说："你在那里，我尿不出来。"

　　生活老师抿嘴一笑，又识破了马小跳的诡计："好，

我走了，你快点尿啊！"

生活老师重重地在原地踏步，让脚步声清晰地传到马小跳的耳朵里。

"哈哈，这个花冬瓜终于走了。"

生活老师很胖，又爱穿大花的连衣裙，马小跳背地里叫她花冬瓜。

马小跳蹑手蹑脚地从卫生间里出来，一出来就被生活老师逮个正着。

"你……你不是走了吗？"

"这叫道高一尺，魔高一丈。"生活老师提着马小跳的衣领，像老鹰抓小鸡，"你这点小花招，今后少跟我要。"

生活老师押着垂头丧气的马小跳，像押着刚刚打了败仗的俘虏，向那间摆满了小木床的休息室走去。

秘密被揭穿之后

　　这段时间，马小跳一直在想方设法地接近轰隆隆老师，他甚至故意在上科学课时捣乱，希望轰隆隆老师能像班主任秦老师那样，下了课就把他带到办公室去。轰隆隆老师的办公室就是实验室，自从那天中午，马小跳在望远镜里发现这里的秘密后，实验室就成了马小跳无限向往的地方。

　　可是，轰隆隆老师不是秦老师，他从来不把上课捣乱的学生带到他的办公室去。

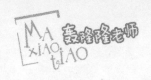

这是下午的最后一节课。一下课，轰隆隆老师就离开教室，急匆匆地往实验室走。

"老师！老师！"马小跳追上去，"刚才我上课时捣乱，我还没向你承认错误呢！"

轰隆隆老师停住脚步："那我听着，你说吧！"

"这里说话不方便，还是到你的办公室说吧！"

"那就算了，你快回家吧！"

轰隆隆老师根本不想听马小跳所谓承认错误的话，他知道马小跳现在认了错，下次还会再犯。这一点，轰隆隆老师跟班主任秦老师不一样。秦老师很在乎学生向她承认错误，轰隆隆老师却一点都不在乎。马小跳想，如果他向轰隆隆老师请教问题呢？一个老师总不能拒绝学生的问题吧？

"老师，我有个问题要向你请教。"

果然，轰隆隆老师没有拒绝学生的问题，甚至表现出极大的兴趣来："有什么问题，你问吧！"

马小跳还是想到实验室去。

遇到这种像黏黏虫一样的学生，轰隆隆老师一点办

法都没有，只好把马小跳带到实验室去。

"马小跳，有什么问题你快问吧！"

"我的问题是——"马小跳回忆着那天在望远镜里看到的情景，"在四个玻璃杯里，倒进半杯水，把一块小木板盖在上面，再在木板上竖着放四根塑料管，在每个管口上放一个鸡蛋，最后用击台球的球杆击这个木板，木板和塑料管都飞走了，四个鸡蛋却分别掉进四个玻璃杯里，这是为什么？"

轰隆隆老师盯着马小跳："你怎么知道我会玩这个魔术？"

"这是魔术？"马小跳摩拳擦掌，"老师，你教我玩这个魔术好不好？"

马小跳没想到，轰隆隆老师还真的答应教他玩这个魔术。他叫马小跳关上实验室的门，就在一张白色的实验桌上，摆上四个玻璃杯。马小跳是个机灵的孩子，不用轰隆隆老师教他，他就知道在四个玻璃杯里倒上水，再盖上小木板，又在木板上竖着放四根塑料管。

"鸡蛋呢？"

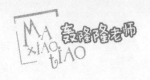

马小跳向轰隆隆老师要鸡蛋。

轰隆隆老师分别从四个裤袋里摸出四个鸡蛋，马小跳把它们分别放在四个塑料管口上。

轰隆隆老师开始教马小跳玩这个魔术。

"这个魔术叫打蛋入杯。其实这是一个物理实验，是利用了物体的惯性。所以，在击木板时，必须准确、有力、迅速，这样鸡蛋受到力的作用小，才会掉进杯子里。"

说着，轰隆隆老师就要用手掌去击木板。

"慢！"马小跳拉住轰隆隆老师，"你为什么不用球杆？"

"用球杆是高难度动作。你初学，用手掌来击木板，更简单、更直接。"

轰隆隆老师躬着身子，睁只眼闭只眼，手掌在木板的边缘虚推了几下。啪的一声，轰隆隆老师一掌击去，木板和四个塑料管都飞到一边去了，四个鸡蛋却稳稳地落进杯子里。

"哇！轰隆隆老师，你太棒了！"

马小跳拼命地鼓掌，他对轰隆隆老师崇拜得……不知用什么词来形容才好。

被人崇拜总是一件令人开心的事情。轰隆隆老师很高兴，他让马小跳试一试。

结果，马小跳在用手掌击木板时，动作不够迅速，也不够有力，木板和四个塑料管飞到一边去了，四个鸡蛋也飞到一边去了，打了个稀巴烂。

马小跳很不好意思："老师，我赔你的蛋。"

"什么？我的蛋？人能下蛋吗？"轰隆隆老师挥挥手，"算啦算啦，反正我正准备把这四个鸡蛋炒番茄吃，就当我吃了吧。"

看着马小跳一副闯了祸的样子，轰隆隆老师说："不就是几个鸡蛋嘛，看我再给你变出来。"

轰隆隆老师伸手把马小跳的红色棒球帽揭下来，放在桌上，帽口向上。然后从抽屉里取出一块手帕，让马小跳看。

"看见有什么东西吗？"

马小跳说："什么东西都没有。"

"好!"

轰隆隆老师把手帕折成一个口袋的样子,向帽子里一倒,竟倒出一个鸡蛋来。轰隆隆老师又把"口袋"向上提一提,再一倒,又倒出一个鸡蛋来。

就这样不停地提"口袋",不停地倒"口袋",不停地有鸡蛋倒进帽子里。

"哇,太神了!"

马小跳以为他的帽子里已快装满鸡蛋了,走过去一看,帽子里面空空的,什么都没有。

"蛋呢?"马小跳捧着他的帽子,"我清清楚楚地看见有那么多鸡蛋倒进帽子里,怎么帽子里是空的?"

"哈!哈!哈!"

轰隆隆老师的笑声不像在笑，像在咳嗽。

"轰隆隆老师，我没有看错，你不是一个一般的人。"

马小跳更加崇拜轰隆隆老师了。

"马小跳，你说我是个什么人。"

"你是一个神秘的人。"

"哈！哈！哈！"轰隆隆老师又是一阵咳嗽一样的笑，"我不神秘，我一点也不神秘。变蛋的秘密在这里——"

轰隆隆老师把手帕的背面展开给马小跳看，原来秘密就在手帕的边上——缝着一条几乎看不见的线，线上吊着一个空蛋壳。刚才不停地倒进帽子里的蛋，其实就是这么一个空蛋壳。

知道了魔术的秘密，马小跳好像并不那么崇拜轰隆隆老师了。他心里有点怪轰隆隆老师，如果他不告诉马小跳那些魔术的秘密，也许马小跳会一直崇拜他。

世界上最漂亮的女老师

　　马小跳在上幼儿园的时候，认为幼儿园里教他的那个年轻的女老师是世界上最漂亮的女老师。很多小孩不愿意上幼儿园，可马小跳最喜欢上幼儿园，一个很重要的原因就是因为马小跳喜欢这位漂亮的女老师。到了该上小学的时候，马小跳根本不想上小学，因为他不想离开幼儿园那位漂亮的女老师。结果在上学第一天，马小跳是被他爸爸马天笑先生押着去学校的。在学校门口，马小跳死活不肯进去，这时来了一位年轻的女老师，问

马小跳为什么不愿意上学，马小跳一看这位年轻的女老师比幼儿园的女老师更漂亮，忙说"我愿意上学"，牵着这位漂亮老师的手就进了学校。

到了三年级，马小跳已经很喜欢他上的这所小学了。喜欢这所小学的一个很重要的原因，就是他喜欢教美术课的林老师。这位林老师，就是一年级的时候马小跳牵着她的手进学校的那位老师。每当马小跳向别人炫耀他的学校时，他都会强调一句："我们学校还有一位全世界最漂亮的女老师哦，她教我们的美术课……"

有一次，他把这话向住在对面楼上的高大伟讲，高大伟说他们学校教音乐的张老师，才是全世界最漂亮的女老师。结果，马小跳就和高大

伟打起来了。

高大伟已经读六年级了，足足高出马小跳一个头，力气也比马小跳大得多。马小跳被他打得鼻青脸肿，他宁死不屈，一遍又一遍地高呼："林老师是全世界最漂亮的女老师！"

高大伟把马小跳的两只手反剪在背后，要他说"林老师不是全世界最漂亮的女老师"。马小跳豁出去了，仍然高呼："林老师是全世界最漂亮的女老师！"

高大伟不敢再打马小跳，他知道马小跳的犟脾气，就是打死他，他还是会认为林老师是全世界最漂亮的女老师。

高大伟见把马小跳打成了"熊猫"，心里有点怕，怕马小跳让爸爸妈妈去找他，就拣好听的说："马小跳，我刚才是跟你闹着玩的，教我们音乐的张老师长得像猪八戒，教你们美术的林老师才是世界上最漂亮的女老师。"

"真的？"

马小跳暂时忘记了他的伤痛。

高大伟说："千真万确。"

马小跳跟高大伟来了个真诚的拥抱，至少马小跳是真诚的，他们和好如初，又是一对好朋友。他对高大伟发誓说，他决不向任何人说是高大伟把他打成"熊猫"的，就是跟他的爸爸妈妈也不说。

马小跳虽败犹荣：连他高大伟都不得不承认，林老师是全世界最漂亮的女老师。

鼻青脸肿的马小跳回到家，进门就对他爸爸妈妈说，他是走路不看道，撞到了树干上。他妈妈头脑比较简单，百分之百地相信了他。他爸爸马天笑先生头脑比较复杂，半信半疑。

第二天，马小跳鼻青脸肿地来到学校，张达、毛超、唐飞见了，都说要为他报仇雪恨。

"谁打的？"张达把胸脯拍得啪啪响，"看我不……不修理他！"

马小跳说："我自己撞到树上了，你去修理树吧！"

"骗人！"

路曼曼又掏出那本记录马小跳不良表现的小本子，

在上面记道：

　　　　马小跳今天鼻青脸肿，我怀疑他在校外跟人打
架。

　　路曼曼不等放学，及时将小本子送到秦老师那里。
所以秦老师很快知道了马小跳今天鼻青脸肿。

　　秦老师看了一眼鼻青脸肿的马小跳，拉长了声音问
道："跟谁打架了？"

　　马小跳向高大伟发过誓的，他只能负隅顽抗。

　　"我没有打架。"

　　"没有打架？"秦老师一点后路都不给马小跳留，
"你别跟我说，你是撞到树上了。"

　　马小跳说："我是撞到树上了。"

　　"怎么撞的？说详细一点。"

　　马小跳开始编故事："昨天下午放学，我走在路上，
脑袋里一直在思考一道数学题，就没有看见前面的树，
一头撞了上去。"

办公室里的老师都笑起来，只有林老师没有笑。

教马小跳班数学的钱老师，端着茶杯，笑眯眯地走过来："马小跳，你能不能给我讲讲，你昨天在路上思考的数学题是一道什么样的数学题？"

"是一道……嗯……"马小跳挠脑袋，翻白眼，"我想不起来了。"

数学老师还是笑眯眯的："一点都想不起来？"

马小跳说："被树一撞，人都被撞傻了。"

数学老师像会变脸，刚才还笑眯眯的，现在脸上一点笑容都没有了："我看你这么会撒谎，一点都不傻。"

马小跳偷偷地看了一眼林老师，他见林老师低着头在看书。不知她听见数学老师在说他撒谎没有，马小跳很希望她没有听见。

"马小跳，你不要自作聪明，我们都知道你在撒谎。"秦老师用手指着马小跳的鼻头，"我再问你一遍，你的脸是被谁打的？"

马小跳还是说："被树撞的。"

秦老师满脸通红。只要一生气，她的脸就会发红。

上课铃响了，秦老师急着去上课。她拿出一张纸、一支笔，叫马小跳把他被打得鼻青脸肿的经过写下来。

除了林老师，办公室里的老师都上课去了。

"马小跳，过来！"

林老师悄声地叫马小跳，马小跳就过去了。

林老师伸出手来，在马小跳肿起来的嘴唇上摸了摸。她的手指很凉，摸在受伤的地方很舒服。

"疼吗？"

马小跳点点头，又摇摇头。

"马小跳，你真的是被树撞伤的吗？"

马小跳低下了头。

林老师把马小跳向她身边搂了搂，马小跳已经闻到了从她身上散发出来的淡淡的香味。

"我知道马小跳不是个撒谎的孩子。马小跳你看着我的眼睛，告诉我，究竟发生了什么事？"

马小跳看着林老师的眼睛，他相信这是世界上最美丽、最善良的眼睛。

马小跳从来没有经历过这样叫他为难的事情，面对

这样的一双眼睛，他是应该说真话的，可是，他向高大伟发过誓呀！

　　马小跳想不出两全其美的办法，痛苦地揪着他的头发。有生以来，他第一次有了这样的感受：做人真难！做好人难上加难！

喝醉的兔子也疯狂

马小跳做任何事情，无论是正确的事情，还是错误的事情，总是比较果断的。就像这次教师节，送语文老师和数学老师的礼物，他可以很果断地在三十秒钟以内就搞定：送语文老师一张贺卡，上面写几个字："祝秦老师节日快乐！"送数学老师一张贺卡，上面写几个字："祝钱老师节日快乐！"

送美术老师什么礼物呢？马小跳就变得不是那么果断了。教美术课的林老师是马小跳最喜欢的老师，她在

马小跳心目中是全世界最漂亮的女老师，如果送跟语文老师和数学老师一样的礼物，林老师不就跟他们一样了吗？

林老师肯定跟他们不一样，她跟很多老师都不一样。

马小跳一定要送一样最特别的礼物给林老师。他发现林老师喜欢兔子，她的钥匙扣上、手提包上都挂着雪白的、毛茸茸的兔子饰物。好像听谁说过，林老师是属兔的。

马小跳不会送林老师已经有了的兔子饰物，那些都是不会动的假兔子，马小跳要送活蹦乱跳的真兔子给林老师。

马小跳曾经在宠物市场看到过一种兔子，比一般的兔子要小得多，比刚生下来的兔子还小，像一个雪白的绒线球。它的名字也好听，叫珍珠兔。

在宠物市场，珍珠兔都是一对一对卖的，价格比一般的兔子贵得多。一般的兔子十几块钱就能买到一对，珍珠兔一对要卖三十块。

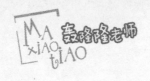

　　马小跳一个月的零花钱只有十五元。买一对这样的珍珠兔，要花去马小跳两个月的零花钱，这就意味着在这两个月里，他不能买新出来的漫画书，在放学路上不能买冰激凌吃，不能……总而言之，这两个月，马小跳会没有一分零花钱。

　　马小跳向他老爸马天笑先生预支了两个月的零花钱，在教师节的中午，把他看中的一对珍珠兔买回了家。

　　马小跳想把这两只珍珠兔装进一个漂亮的纸盒子，再在纸盒子外面包一层闪蓝光的包装纸，这才像一件正儿八经的礼物。可是，活蹦乱跳的珍珠兔怎么也不肯乖乖地待在纸盒子里。

　　马小跳忙得满头大汗，他把这只珍珠兔逮进盒子里，那只又跑了，把那只珍珠兔逮进盒子里，这只又跑了。

　　两只小小的兔子，怎能难住马小跳？马小跳要把它们两个灌醉，让它们乖乖地待在盒子里。

　　马小跳把他老爸的红酒，倒在一个小碟子里，又在

小碟子边放上几片青菜。

两只珍珠兔吃几口青菜，又喝几口红酒。等把碟子里的红酒都喝光时，它们的眼睛已红得像红宝石，走路也歪歪倒倒的。最后，躺在地板上，呼呼睡去。

"哈哈，醉了！醉了！"

醉了的珍珠兔，就像林老师钥匙扣上、手提包上的兔子饰物。马小跳一手握一只醉兔，把它们放进纸盒子里。

马小跳在纸盒子上扎了几个小洞，这样盒子里的珍珠兔能呼吸到外面的新鲜空气。他以前养过蚕、养过小鸟，都是这么干的。

马小跳把装着珍珠兔的盒子送到一家礼品店，花了三元钱，他要用闪蓝光的包装纸和闪银光的彩带把纸盒子包装起来。

看着马小跳一脸郑重其事的样子，礼品店的服务员觉得很好笑："小同学，你这是送谁的礼物啊？"

"不告诉你。"

"你不告诉我，我也知道。"礼品店的服务员一点都

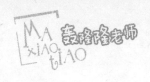

不生气，"你这个礼物呀，肯定是送给女同学的，是不是？"

"不是。"

马小跳长这么大，还从来没有给女同学送过礼物。他想送礼物给住在他家对面的女同学安琪儿，但最终还是没有送。他想如果安琪儿不那么丑，不那么傻，他是会送的。

马小跳把包装好的盒子放进书包里，他怕拿在手

上，人人见了都要问他是送给谁的。不知道为什么，他不想告诉别人，这是送给林老师的。

马小跳到了学校，他准备下午放学后，等在学校附近的一个小巷口，那是林老师每天上下班的必经之地。在那里等林老师，然后把他认为很特别的礼物——一对可爱的珍珠兔，亲手送给林老师。

想象着林老师接过礼物后，她也许会摸摸马小跳的头，也许会拍拍马小跳的肩，甚至会亲亲马小跳的脸。马小跳清楚地记得，一年级的时候，她是亲过马小跳的。想到这里，马小跳的心就像打鼓一样，怦怦地跳，脸也热乎乎的，他想脸一定是红了，只不过没有人发现而已。

下午是两节作文课。

写作文是一件令马小跳头痛的事情。经常是这样的：第一节课，马小跳的脑袋里空空如也，一个字都写不出来。第二节课开始想，刚想好了一个开头，下课铃声也在这时响了。所以，他的作文经常是放学后在秦老师的办公室里完成的。

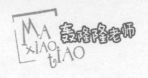

今天，马小跳有重要的事情要办，他一定要在两节作文课里完成作文，一定不能让秦老师留下来。

马小跳第一次写作文写得这么专心，写得这么快。他哪里知道，礼品盒里，那两只喝醉酒的珍珠兔，现在酒醒了，正用它们坚硬的门牙在啃纸盒。

两只珍珠兔齐心协力，很快把纸盒啃破了，又把包装纸啃破了。

珍珠兔从马小跳的书包里爬出来了。它们爬到马小跳的身上，马小跳没有发现，他太专心了，他从来没有这么专心过。

珍珠兔爬上了课桌。有一只居然爬到了路曼曼的作文本上。

"啊——"

路曼曼一声尖叫。

教室里本来十分安静，所以路曼曼这突然的一声尖叫，显得格外的刺耳。教室里骚动起来，很多同学都看见了珍珠兔，秦老师也看见了。两只珍珠兔受到了惊吓，加上刚才又喝了酒，变得疯狂起来。

　　两只珍珠兔疯狂地奔跑。它们四条腿很短，身上的毛很长，所以看不见它们在跑，倒像两个雪白的绒线球在地上滚。

　　教室里闹翻了天。全班同学都在追这两只珍珠兔，无论秦老师怎么喊"安静"，都安静不下来。

　　等把两只珍珠兔捉住，交到秦老师那里去的时候，

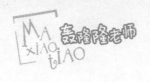

秦老师已快被气昏了。

"马小跳，你居然敢把兔子带到学校里来捣乱，我要把你送到校长那里去！"

"秦老师，你把珍珠兔还给我，再把我送到校长那里去，好不好？"

"还给你？你还想捣乱是不是？"

秦老师把两只疯狂的珍珠兔没收了，然后把马小跳带到校长那里去。

下楼的时候，马小跳看见林老师抱着一叠画上楼来。看着秦老师满脸生气的样子，林老师知道马小跳又闯祸了。

"马小跳，你怎么又捣乱？"

马小跳鼻子一酸，有热热的东西从眼睛里滚出来。

那是眼泪。马小跳很悲哀地想：没人相信他不是捣乱，就连他最喜欢的林老师，都不会相信他不是在捣乱。

马小跳的脚受伤了

　　这件事情一说起来，就让马小跳无地自容。那么多的小孩子在人造冰场上溜冰，有的比他还小，都溜得好好的，当然也有摔倒的，但人家摔倒了很快又站起来，都没有把脚扭伤，偏偏马小跳摔倒了就站不起来，而且还把脚扭伤了。

　　马小跳的脚上缠满了绷带，他这样子是不能上学的。他爸爸马天笑先生已经给班主任秦老师打了电话，秦老师同意他在家休息几天。

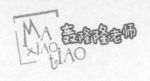

可以不上学，对马小跳来说，是一件无比开心的事情，这意味着他可以睡懒觉，可以打游戏机，可以看动画片，可以不停地吃东西，可以……马小跳真想在地板上翻跟斗，可是他的脚扭伤了，他不可以翻跟斗，他只能哈哈地大笑几声。

第二天早晨已过了七点，马小跳还舒舒服服地躺在被窝里，他今天可以不上学，所以他理直气壮地躺在被窝里。他听见从卫生间里和厨房里传来的各种各样的声音，那是他的爸爸妈妈手忙脚乱地在做上班前的准备。

门砰地响了一声，那是马小跳的爸爸出门上班去了；门又砰地响了一声，那是马小跳的妈妈出门上班去了。

现在，家里只有马小跳了。这时候的马小跳，是全世界最幸福的马小跳。

马小跳起床了，他要起来打游戏机。在穿鞋的时候，马小跳顺便想了想，今天是星期一，会有什么课。第一节课是语文课，哈哈哈！第二节课是数学课，哈哈哈！第三节课是美术课，马小跳笑不出来了，美术课他

是一定要上的，因为教美术的林老师是他最喜欢的老师。

一周才两节美术课，马小跳要去学校上美术课。

那只受伤的脚缠满了白色的绷带，穿不上鞋，马小跳只能穿着一只鞋跳着出了门。

用一只脚跳着走路的马小跳，在街上非常引人注目，他那只缠满了白色绷带的受伤的脚更加引人注目，他几乎给街上的每一个人都留下了这样的印象：脚受伤了，还坚持去学校上学。

马小跳一路走，一路都听到赞扬他的声音。

马小跳在过马路的时候，正在街口指挥交通的、那个平时他觉得凶巴巴的胖警察，居然朝他跑过来，抱着他过了马路。

"真是好孩子。"胖警察轻轻地把他放在地上，"一看你这样子，就是爱学习的好孩子。"

马小跳有点受宠若惊。

马小跳蜷曲着一只受伤的脚，继续向学校跳去。没跳多远，一辆红色的小跑车停在路边。车门打开，从里

面出来了一位漂
亮阿姨，向马小
跳走来。

"小弟弟，你
是去上学吧？我
送你去。"

马小跳的犹
豫没有超过三秒
钟，他太想坐坐
这部小跑车了，
这可是他只在电
视里才见过的小跑车啊！

小跑车里只在前面有两个座位。马小跳坐进去后，
几乎没有任何感觉，车就开动了。马小跳想，这就是小
跑车和一般车的最大区别。

漂亮阿姨开着车，嘴也没有闲着。

"小弟弟，我一看见你，就知道你是爱学习的好孩
子。"

怎么她说的话，跟胖警察说的话一模一样。

"我儿子比你还大一点点，如果他的脚也像你这样受伤了，他才不会去上学呢！他正好赖在家里打游戏机，看动画片……"

马小跳觉得，她好像在说他，于是脸有些发热。幸好车子很快开到了学校。

马小跳跳进了学校。

操场上，有两个班的学生在上体育课，看见马小跳这样跳进来，都像看电影一样看着他。

马小跳知道有人在看他，也知道他们的心里是怎么想的，他偏要演点戏给他们看。他一步一步地跳得很有力很坚定，两眼平视前方，目光也是坚定不移的。

马小跳看起来有些悲壮，像轻伤不下火线的样子。

马小跳一步步地跳到教室门口，十分沉着地喊了声："报告！"

秦老师在上语文课。她开门一看是马小跳，大吃一惊："马小跳，你怎么来了？"

秦老师吃惊，是因为马小跳的爸爸已经向她请了

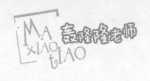

假，说马小跳的脚摔伤了，不能到学校上课，怎么他又来了呢？

全班同学的目光都集中在马小跳身上。马小跳知道大家在看他，脸上的表情更加悲壮了。

这时候，马小跳听见唐飞在悄悄地对毛超说他像倒霉的独脚鸡。

秦老师狠狠地把唐飞批评了一顿，又把马小跳表扬了一番。她觉得还不够，她要把这件事情报告给校长，建议校长在全校表扬马小跳。

校长听完秦老师的报告，首先表扬了秦老师。他认为像马小跳这种调皮捣蛋的学生，居然能在脚受伤的情况下，坚持到学校来上课，这说明秦老师对学生思想品德的教育是非常成功的。

"你要好好挖一挖马小跳的思想。"校长对秦老师说，"我们要把马小跳树立成榜样，号召全校学生向他学习。"

秦老师叫马小跳放学留下来。马小跳就有点搞不懂了：表现不好会被留下来，为什么表现好了还要被留

下来？

放学后，马小跳的同桌路曼曼扶着他到办公室去。平时，路曼曼对他总是很凶，从来没有像现在这么温柔过。如果路曼曼能永远像现在这么温柔地对他，马小跳宁愿永远像独脚鸡一样跳着走。

秦老师搬来一张椅子让马小跳坐下，又伸出手来摸马小跳的头，摸了头又摸马小跳那只受了伤的脚。马小跳的身上起了鸡皮疙瘩，他已经习惯秦老师对他凶，这么温柔地对他，他反而不自在。

遵照校长的指示，秦老师开始挖马小跳的思想。

"马小跳，你的脚受伤了，为什么还要坚持到学校

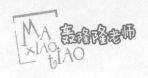

来上课呢？"

马小跳不吭声。

秦老师进一步启发道："马小跳，你不是最喜欢打游戏机吗？不是最喜欢看动画片吗？我已经允许你在家里休息，为什么还要……"

"我本来不想来上课，就是想在家里打游戏机、看动画片……"

"但是你怎么又来了呢？"

"因为今天有美术课。"

马小跳不说因为今天有语文课，不说因为今天有数学课，而说因为今天有美术课，秦老师有些失望。

秦老师对马小跳的态度又恢复成以前那样，说话的语气又恢复成以前那样。

"马小跳，我还不知道你这么喜欢美术课，没有看出你在美术方面有什么特长嘛。"

马小跳也承认他在美术方面是没有什么特长，便老老实实地回答说："我是因为喜欢林老师，才喜欢上美术课的。"

　　"这么说——"秦老师开始推理，"如果今天没有美术课，你就不会来了？你就会在家里打游戏机、看动画片？"

　　马小跳老老实实地回答："是。"

　　马小跳最终没有在全校被表扬。有一阵子，马小跳真的搞不懂：为什么一件简简单单的事情会搞得那么复杂？过了一阵子，马小跳才有点搞懂了：大人们喜欢把简单的事情复杂化，小孩喜欢把复杂的事情简单化。

　　就是这样的。

嬉皮笑脸的流氓猪

　　上美术课时，林老师发给每个同学一个白色的皮球，让他们自由发挥想象，看能用彩色的画笔，在这个皮球上画出什么来。

　　自皮球发到马小跳的手中已经有好一会儿了，他还没有想好他要画什么。看看前面的毛超，他在白皮球上乱七八糟地涂了一些蓝色、一些黄色，还有一些绿色。

　　马小跳站起来趴在毛超的身上："你画的是什么？"

　　"地球。"

"我们人类就生活在这样的地球上？"

"这球有山、有水、有平原，哦，还差一个你住的地方——"

毛超用红色的笔在那片代表山的黄色上，涂了一小块红色。

马小跳问："这是什么？"

"火山。"

马小跳见他的同桌路曼曼在偷偷地笑，就凑过去看她在白皮球上画什么。路曼曼在白皮球上画了一个美丽的仙女，马小跳估计是嫦娥，他还在幼儿园的时候，就听过嫦娥奔月的故事。

马小跳又扭过头去看后面的唐飞，他正用棕色的彩笔一丝不苟地涂着白皮球。如果别人不知道唐飞画的是什么，马小跳是一定知道的。他知道唐飞喜欢吃，特别喜欢吃朱古力蛋，唐飞在画朱古力蛋。

张达的座位在靠窗子那边，和马小跳隔着两张课桌，但马小跳已经看见他在画足球了。就是马小跳不看，闭着眼睛也知道他会画足球，因为他做梦都在踢

足球。

除了唐飞的朱古力蛋，马小跳觉得在一个球上再画地球、月球、足球，真是一点想象力都没有。

见半节课都过去了，马小跳还没动笔画，路曼曼又要管他了，她本来就是秦老师派来管他的。

"马小跳，你怎么还不画？"

"画什么呀？"

"真是个猪头。"路曼曼觉得马小跳很笨，"你看这个球像什么，你就画什么嘛。"

马小跳不满路曼曼骂他是猪头，就说："我看这个球像猪头。"

"林老师！"毛超一有机会，就要揭发马小跳，"马小跳说这个球像猪头。"

"哈哈哈！"

几乎每节课，马小跳都要让大家笑一笑。

林老师也在笑，她走到马小跳的课桌前："马小跳，我发现你的想象力真是很独特哦！你怎么会想到这个球像猪头呢？快，快把它画出来。"

画就画。

猪的鼻子最好画，一个圆圈，在里面点上两个点，就是两个鼻孔。马小跳搞不清楚猪是单眼皮还是双眼皮，干脆一只眼睛睁着，一只眼睛闭着，就成了挤眉弄眼、似笑非笑的猪样子。

马小跳没有画猪耳朵，他嫌猪耳朵太大太占地方，在一个球上画了三张挤眉弄眼、似笑非笑的猪脸。

马小跳把猪脸放在桌子上，猪睁只眼、闭只眼，有点邪乎地看着他，一脸坏笑的样子，马小跳哈哈地笑起来。

"啊！"

路曼曼尖叫一声，双手捂住了她的眼睛。另一张猪脸正对着她，像个流氓似的一脸坏笑。

马小跳故意要气路曼曼："如果你喜欢，我就送给你。"

"我才不喜欢呢！"路曼曼一巴掌把那个画着三张猪脸的球打在地上，"嬉皮笑脸的流氓猪！"

画着三张猪脸的皮球在地上跳着，林老师追上去把

它抓在手里。她一看球上的猪脸，就笑了："马小跳，我
发现你不仅想象很独特，你画得也很独特。我请个同学
来说一说，他的独特表现在哪里。"

有同学说："一般画猪，都会把猪画得很老实，马小
跳画的这个猪，有点狡猾，脸上的笑不是憨厚的笑，是
坏笑。"

有同学说："马小跳画的猪纠正了人们对猪的错误看
法，认为猪很笨，其实猪是地球上最聪明的动物之一。"

路曼曼虽然不喜欢马小跳画的猪，但她还是承认马

小跳画的猪很独特。

"一般人画猪，都会画成可爱的猪，马小跳却把猪画成了嬉皮笑脸的流氓猪。"

一听"流氓猪"，林老师和同学们都笑起来，这个称呼安在马小跳画的猪身上，真是再合适不过了。

因为独特，所以大家喜欢。

流氓猪在教室里跳来跳去，滚来滚去，很快在马小跳他们班上风行起来。开始是男生们拿来皮球找马小跳画，马小跳已画得熟能生巧，一分钟可以画好一张猪脸，一个球上三张猪脸，三分钟就可以搞定。

后来，也有女生拿皮球来找马小跳画。马小跳对男生还算豪爽，对女生他就有点摆谱了，要人家再三地求他，他才肯画。这时候，他的身边总是围着一堆女生，唧唧喳喳的，但他一点都不嫌烦，感觉好极了。

马小跳一直盼望着路曼曼来求他画，可是路曼曼根本就没有求他的意思，每天对他的态度，仍是趾高气扬的。

"会画流氓猪有什么了不起？"路曼曼向马小跳翻了

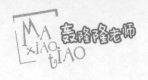

几下白眼，"雕虫小技。"

路曼曼肚子里的词儿真多，起码有一大半马小跳听不懂，比如现在说的"雕虫小技"，马小跳只能理解为"画猪小技"。

"画猪小技？"马小跳吼起来，"你画一个给我看看？"

"画就画！"

路曼曼从一个女生手中抓过皮球就画。

天哪，她居然比马小跳画得还快还好！

马小跳一把夺下路曼曼的笔："你怎么会画的？"

马小跳连这点都想不明白，路曼曼是他的同桌，他画了那么多的流氓猪，路曼曼就是看，也早看会了。

马小跳不以为然："你会画，还不是偷学我的。"

"偷学你的？"路曼曼的眉毛立起来，"那天林老师表扬你想象独特，我没有揭穿你——是我骂你猪头，你才想到画猪的。"

一听这话，马小跳就不是那么理直气壮了。

"啊，原来是这样！"

围着马小跳的女生，刚才还有点崇拜他，现在一点都不崇拜了，甚至还有些瞧不起他。

马小跳也不是那么容易打败的，他还要为自己扳回一点面子："你敢不敢把两只猪眼睛都画得睁起来？"

这次轮到路曼曼蔫了。两只眼睛都睁着的猪，还叫流氓猪吗？

吹泡泡糖飞过了木马

以前，马小跳最喜欢上的课是体育课，现在马小跳最不愿意上的课是体育课，因为现在上体育课，要跳木马。

也许跳木马并不是很难，张达能跳过去，毛超能跳过去，连胖得像企鹅的唐飞都能跳过去。他们先是一阵猛跑，跑到木马跟前，双手在木马上一撑，轻轻一纵就跳过去了。马小跳也是一阵猛跑，跑到木马跟前，双手在木马上一撑，却坐在了木马上。

跳了一次又一次，马小跳每一次都坐在木马上。

"马小跳，你是跳木马，还是骑木马?"

"马小跳骑木马。"

毛超从来管不住自己的嘴巴。

"我问马小跳，没有问你。"体育老师瞪了毛超一眼，又问马小跳，"下节课考跳木马，难道你想吃'大鸭蛋'吗?"

吃"大鸭蛋"就是考"0"分，马小跳当然不想吃"大鸭蛋"。

回到家里，马小跳把一个方凳放在客厅中间，练习跳木马，他从厨房里面跑出来，他自以为肯定跳得过去的，结果每次都没有跳过去，每一次屁股都坐在板凳上。

"马小跳，你是不是有毛病啊?"马天笑先生终于看不过去了，"你坐板凳就坐板凳，为什么要从那么远跑过来，再坐上去?"

马小跳说他在练习跳木马："跳木马很好玩的!"

马天笑先生一说起玩就浑身来劲。他说他小时候最

喜欢和小伙伴玩跳木马，做"马"的那个人把背弓起来，大家就排着队，一个一个地从他身上跳过去。

马天笑先生说着，就把背弓起来，让马小跳从他背上跳过去。

马小跳严格地照体育老师教给他们的标准动作来练，厨房离客厅最远，所以他到厨房那里去起跑。

马小跳从厨房里跑出来，双手撑在马天笑先生的背上，结果还是没有跳过去，只是像跳木马那样，骑在了马天笑先生的背上。

"马小跳，叫你从我背上跳过去，不是叫你骑在我的背上。"

马小跳说再来一遍。

马小跳怀疑是不是从厨房到客厅的距离不够长，助跑的速度不够快，所以他要把起跑的地点改在对面安琪儿家的门口，从那里跑到客厅，距离会长一点。

马小跳打开门出去了，站在安琪儿家的门口，在那里比试着起跑的动作，把安琪儿家的门弄得砰砰地响。

安琪儿出来了。她把头从门里伸出来，一脸傻乎乎

的笑："马小跳，你找我？"

安琪儿是马小跳的同班同学，她不像路曼曼，她对马小跳很好，只是马小跳嫌她是女生，而且是长得不太好看的女生，所以不怎么搭理她。

"我不找你。"

"你弄响了我家的门，我以为你要找我。"

"我找你干什么？"马小跳不耐烦了，"你别烦我，我在跳木马。"

安琪儿跟别的女生就是不一样，如果马小跳对别的女生这种态度，她们早就生气了，安琪儿不生气，她还说这里根本没有木马，马小跳跳的是空气。

马小跳正要和安琪儿理论他跳的不是空气，突然听到马天笑先生一声怒吼："马小跳，我的腰都弓酸了！"

马小跳对安琪儿说："听见没有，我爸爸就是我的木马。"

马小跳用最快的速度跑到马天笑先生跟前，结果还是像骑马一样，骑在了马天笑先生的背上。

"马小跳，你真的把我当马了！"

马天笑先生没耐心再给马小跳当"马"了，马小跳对自己也没了信心。

"明天上体育课考跳木马，我只好吃'大鸭蛋'了。"

马天笑先生看着马小跳，他想不通马小跳在三个月大的时候都能跳很高，现在怎么连木马都跳不过去了。

"马小跳，你知道你的名字为什么叫马小跳吗？"

马小跳说："不知道，这个名字又不是我取的。"

"你原来的名字不叫马小跳，叫马小骥，一匹小骏马的意思，这个名字是你爷爷给你取的。后来，我为什么要把你的名字改成马小跳呢？这是有纪念意义的。在你生下来一百天的百日宴上，让你抓阄你不抓，你跳，而且跳得很高。谁都没见过一百天大的婴儿可以跳这么高，所以我就把你的名字改成了马小跳。"

马小跳终于找到他不能跳过木马的原因了。就像有些人小时候聪明得过了头，结果长大了，就变得一点都不聪明了。他在婴儿的时候就能跳，这叫该跳的时候不跳，不该跳的时候乱跳。有句话叫"大器晚成"，真是

千真万确。

马小跳找到他不能跳过木马的原因后，死心塌地地准备明天考跳木马吃"大鸭蛋"。因为死心塌地，所以他晚上睡得很香。睡得很香，就会做梦。马小跳梦见他吃泡泡糖，这颗泡泡糖不是一般的泡泡糖，是那个大鼻子德国玩具商送给他爸爸的。这种泡泡糖在嘴里嚼得很绵很软，更能吐出很大很大的泡泡，泡泡可以带着他飞起来……

第二天早晨，马小跳坐在床上想他昨晚做的梦，想着想着便行动起来，打开抽屉找到那盒大鼻子德国人送的泡泡糖，他寄希望于这神奇的泡泡糖，能使他飞过木马。

上体育课集合的时

162
163

候，马小跳悄悄地把泡泡糖塞进了嘴里，因为闭紧了嘴嚼泡泡糖，所以没有像平时那样，跟那几个调皮蛋打打闹闹。体育老师表扬了马小跳，还说他今天这么守纪律，肯定能跳过木马。

"能坐上木马。"

毛超又在下面接嘴。很多同学笑起来，毛超还向他做鬼脸。

马小跳一心一意地嚼泡泡糖，根本不理睬这些讨厌鬼。他们自觉没趣，也不再嘲笑他了。

在泡泡糖被马小跳嚼得很绵很软的时候，体育老师点到了马小跳的名字。

马小跳很沉着地走到起跑线上。

起跑的时候，马小跳开始吐泡泡。泡泡越来越大，越来越大，马小跳的双脚离开了地面，飞过了木马。

马小跳怕他飞出学校，赶紧吸气，泡泡瘪了下来。马小跳的双脚也稳稳当当地落在了地上。

"跳过了！"体育老师举起双手，"马小跳一百分！"

附录
Fulu

TAOQIBAO ...AOTIAO

淘气包马小跳
系列 典藏版

关于老师

采访人：乔世华（辽宁师范大学文学院副教授）　　受访人：杨红樱

Q₁　在《轰隆隆老师》这本书里，你写了三个老师，这三种完全不同类型的典型形象，在你的笔下，你把他们鲜明的个性刻画得淋漓尽致，最出彩的就是轰隆隆老师。我们先来说说这位颇具魔幻色彩的另类老师吧。

杨红樱　轰隆隆老师是教科学课的老师，科学课本来是一门枯燥的功课，这位轰隆隆老师却能上得活色生香，让马小跳以及所有的孩子都爱上科学课。我特别佩服这种让学生学得轻松的老师，我做过老师我有深深的体会，要达到"学中玩，玩中学"的教学效果，其实对老师的素质要求更高。那种让学生学得很苦很累的老师，无论是学识，还是素质，都没法跟轰隆隆这样的老师相提并论。

Q₂　教美术的林老师在马小跳的心目中是"全世界最漂亮的女老师"，孩子们都喜欢这种美丽温柔、具有亲和力的年轻老师，字里行间的溢美之情，也读出了你对林老师格外欣赏。

杨红樱　我欣赏林老师，首先是因为她能够欣赏学生。我常常说老师应该像艺术家一样，要有一双会发现的眼睛，去发现学生身上的潜质。林老师就发现了马小跳非凡的想象力，还有他身上保持完好的孩子的天性，所以她欣赏马小跳。难能可贵的是，林老师还有一颗能理解孩子的心，所以她能征服孩子的心，孩子们都喜欢她。

Q₃　你有一个观点：作为一个好老师的一个很重要的标准，就是学生是不是喜欢你。你在做老师的时候，你自己认为你是好老师吗？

杨红樱　我小时候的心愿是当老师，当了老师后的心愿，就是要当学生喜欢的老师。孩子们一般都喜欢上体育课和美术课，但是我班上的孩子最喜欢上的却是语文课，因为我是教语文的，孩子们是因为喜欢我而爱上语文课。这就是我为什么那么强调一定要做学生喜欢的老师，学生完全可能喜欢这位老师，而爱上这位老师教的那门功课。

Q₄　秦老师是传统意义上的好老师，她这个老师当得好辛苦，可以说呕心沥血，可你却用讽刺的笔触在写她，这是为什么？

杨红樱 秦老师是一位教学经验丰富的老教师，她对工作兢兢业业，对学生倾注了全部的心血，但她不了解也不愿意了解学生，特别是像马小跳这样的不是传统意义的好学生，她总是带着偏见，给马小跳造成了伤害，她自己是不知道的。秦老师肯定是爱马小跳的，所以我对秦老师的讽刺，也是善意的讽刺。

Q5 马小跳对秦老师最不满的是她"偏心眼"，对秦老师的"偏心眼"，你精彩的描写可圈可点。我想知道的是，你也做过老师，有没有偏心眼的时候？

杨红樱 很多老师习惯性地会把一个班的学生划成三个等级：优等生、中等生、差等生，给学生带来许多不利于成长的负面的心理暗示，还会影响老师的判断力，很难做到公平公正，"偏心眼"就是这样产生的。我小时候，是一个笨小孩，很怕老师把我划为"差等生"，每天都提心吊胆。我当老师了，但我从来没有忘记自己曾经是个笨小孩。所以，我站在教室里，面对全班 48 个学生，我经常这么说：在我们班上，没有优等生，也没有差等生，你们都是我最最亲爱的宝贝儿。

Q6 那么你当小学生时，遇到过像你那样的老师吗？

杨红樱 　有一位老师对我的影响很大，她是我的小学数学老师。我上学早，比同班同学小一二岁，都读二年级了，写"3"还反着写。这位数学老师对我说，不会写，是因为你还小，等你长到跟班上的同学一样大了，就会写了。果然，到了三年级，我就把"3"写正了。后来我常想，如果当时这位数学老师训斥我，骂我笨，我的童年一定会有自卑的阴影。

Q₇ 　可见老师在一个孩子的成长中，起着怎样关键的作用。也许一句话，一个做法，就可以让一个孩子自卑，也可以让一个孩子自信。

杨红樱 　一个自信的孩子的人生和一个自卑的孩子的人生，是完全不同的两种人生。我小时候笨，可能好多孩子会的事情我都不会，但我会去做一些跟别人不一样的事情。比如我们去苗圃除草，老师布置写一篇劳动心得的作文，我却写成了一篇童话，写一棵小树的心情，在除草前和除草后的不同心情。这其实是一篇跑题的作文，老师不仅没有批评我，还当范文在全班念了。从此，我的作文越写越好，天天都盼着上作文课，盼着老师再念我的作文。我后来能成为一个自信的人，我的小学语文老师和数学老师，是我最想感谢的两个人。

Q₈ 　你当老师是深受学生喜欢的老师，现在是中国孩子热爱的童书作家，你常说有一条通向孩子

心灵的道路，你是怎么找到这条道路的？

杨红樱 有个词叫"同情心"，也可以理解为"同理心"。我一直抱着一颗同情心来面对孩子的成长，面对他们成长的烦恼，面对他们所犯下的错误。马小跳对秦老师说过这么一句话："您不要着急，我会慢慢长大的。"除了同情心，孩子们还需要我们有足够的耐心和信心，用温暖慰藉着他们慢慢长大。

淘气包马小跳系列 典藏版

贪玩老爸

轰隆隆老师

笨女孩安琪儿

四个调皮蛋

同桌冤家

暑假奇遇

天真妈妈

漂亮女孩夏林果

丁克舅舅

宠物集中营

小大人丁文涛

疯丫头杜真子

寻找大熊猫

巨人的城堡

超级市长

跳跳电视台

开甲壳虫车的女校长

名叫牛皮的插班生

侦探小组在行动

小英雄和芭蕾公主

图书在版编目（CIP）数据

轰隆隆老师 /杨红樱著. —杭州:浙江少年儿童出版社，
2013.2
（淘气包马小跳系列 典藏版）
ISBN 978-7-5342-7313-1

Ⅰ.①轰… Ⅱ.①杨… Ⅲ.①儿童文学-中篇小说-中国-
当代 Ⅳ.①I287.45

中国版本图书馆 CIP 数据核字（2012）第 315011 号

淘气包马小跳系列 典藏版

轰隆隆老师

杨红樱/著

责任编辑 楼倩
美术编辑 周翔飞
人物形象设计 冷洁
插图绘制 Today Studio
版式设计 艺诚文化
封面设计 千里马工作室 读趣良品
责任校对 苏足其
责任印制 林百乐

浙江少年儿童出版社出版发行
地址：杭州市天目山路 40 号
杭州长命印刷有限公司印刷
全国各地新华书店经销
开本 830×1220 1/32
印张 5.5 插页 4
字数 73000
印数 1—100000
2013 年 2 月第 1 版
2013 年 2 月第 1 次印刷
ISBN 978-7-5342-7313-1
定价：16.00 元
（如有印装质量问题，影响阅读，请与承印厂联系调换）